LES ÉDITIONS DES INTOUCHABLES
512, boul. Saint-Joseph Est, app. 1
Montréal (Québec)
H2J 1J9
Téléphone : 514 526-0770
Télécopieur : 514 529-7780
www.lesintouchables.com

DISTRIBUTION : PROLOGUE
1650, boul. Lionel-Bertrand
Boisbriand (Québec)
J7H 1N7
Téléphone : 450 434-0306
Télécopieur : 450 434-2627

Impression : Transcontinental
D'après l'idée de Marc Britan
Conception graphique : Jimmy Gagné, Studio C1C4
Mise en pages : Mathieu Giguère
Illustration de la couverture : Géraldine Charette
Révision : Élyse-Andrée Héroux, Patricia Juste Amédée
Correction : Élaine Parisien

Les Éditions des Intouchables bénéficient du soutien financier du
gouvernement du Québec — Programme de crédit d'impôt pour
l'édition de livres — Gestion SODEC et sont inscrites au Programme
de subvention globale du Conseil des Arts du Canada.

Nous reconnaissons l'aide financière du gouvernement du Canada
par l'entremise du Fonds du livre du Canada (FLC) pour nos activités
d'édition.

Société de développement des entreprises culturelles
Québec

Conseil des Arts
du Canada

Canada Council
for the Arts

Dépôt légal : 2011
Bibliothèque et Archives nationales du Québec
Bibliothèque nationale du Canada

ISBN : 978-2-89549-477-5 (0,99 $) 978-2-89549-447-8 (prix régulier)

Le rêve d'Émily
Jade Bérubé

Dans la même série

Nikki Pop, Le rêve d'Émily, roman, 2011.
Nikki Pop, Le premier contrat, roman, 2011.
Nikki Pop, À l'aventure!, roman, 2011.

Chez d'autres éditeurs

Komsomolets, Montréal, Marchand de feuilles, 2004.
Le rire des poissons, Montréal, Marchand de feuilles, 2008.

Le rêve d'Émily
Jade Bérubé

Dans la même série

Nikki Pop, Le rêve d'Émily, roman, 2011.
Nikki Pop, Le premier contrat, roman, 2011.
Nikki Pop, À l'aventure !, roman, 2011.

Chez d'autres éditeurs

Komsomolets, Montréal, Marchand de
feuilles, 2004.
Le rire des poissons, Montréal, Marchand
de feuilles, 2008.

Jade Bérubé

D'après l'idée de Marc Britan

1. Le rêve d'Émily

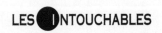

Pour Clarisse,
et pour tous les passionnés de musique

1.

Et si les étoiles m'accordent une chance,
me laissent une place
Alors on brillera !
Nous sommes nés pour briller !
Nous sommes nés pour briller !
— La Fouine, *Né pour briller*

« Meuh ! Meuh ! Meuuuuuuh… »

Émily se réveille en sursaut. Quoi ? Meuh ?

« Meuh ! Meuh ! Meuuuuuuuh… », répète le réveil en forme de vache sur sa commode.

Émily l'a choisi la semaine dernière dans un magasin d'objets rigolos situé près de chez elle, en se disant qu'AU MOINS cette année ce ne serait pas sa mère qui viendrait la réveiller avec sa gentille petite voix douce qui murmure: «Bon matiiiiin, perlimpimpin!!»

PERLIMPIMPIN!

Il y a juste une mère pour penser qu'on a envie de se réveiller en entendant PERLIMPIMPIN!

Se réveiller avec «Meuh meuh», c'est très bien pour une fille qui commence le secondaire. À condition de vous rappeler que c'est une vache qui va vous réveiller, un détail qu'Émily avait complètement oublié. Quelle impression bizarre! Pendant une seconde, elle s'est vraiment crue dans une sorte d'étable. «Ouache! Oups! non, c'est vrai. Ce n'est que le réveil. Vache. Hi hi hi.»

«Meuh! Meuh! Meuuuuuuuh…»

«Ben oui, ben oui, attends un peu», se dit Émily en essayant de gagner quelques minutes de plus sous les draps. Elle a volontairement placé son nouveau réveil-vache très loin de son lit, la veille, en se disant que c'était une technique IN-FAIL-LI-BLE pour se lever. Et ce matin, elle rit toute seule dans son lit en écoutant la vache meugler à l'autre bout de la chambre.

Le réveil-vache ne l'a peut-être pas fait bondir du lit comme prévu, mais, au moins, il est efficace pour la faire sourire. Parce que, en fait, la journée s'annonce HORRIBLE. HORRIBILIS. HORREUR-ESQUE

Aujourd'hui, c'est le jour de la rentrée. Une rentrée qui inquiète Émily au plus haut point. AU PLUS HAUT POINT.

POURQUOI? Parce que. Bon.

Première raison : ce sera dans une école qu'elle n'a pas choisie. Non mais! Toutes ses amies trouvent sa mère géniale parce qu'elle la laisse habituellement faire tout ce dont elle a envie. Et, en fait, Émily adore sa mère (chut!). Mais pour l'école secondaire, elle s'est frappée à une mère inconnue. BOUM. BADANG. Une mère qui dit non pour la première fois.

— Non?

— Non.

— Non, pas d'école publique.

Émily trouve ça vraiment… injuste. Super injuste.

Marie-Pier, sa meilleure meilleure meilleure amie, ira pourtant à la polyvalente, elle. Pourquoi Émily a-t-elle le droit de faire tout ce qu'elle veut SAUF choisir son école secondaire? C'est quoi, la logique? L'année dernière, elle a même fait du saut en parachute. DU SAUT EN PARACHUTE! C'est bien plus DANGEREUX que d'aller à l'école publique! Du PARA-CHUTE! Une activité évidemment jugée beaucoup trop dangereuse par les mères de ses amies… QUI VONT À L'ÉCOLE PUBLIQUE.

Bon. Il n'y a que Marie-Pier qui a le droit d'aller à l'école publique parmi toutes ses amies. Mais puisque c'est sa « meilleure meilleure meilleure » amie, elle compte pour… au moins quatre amies! Cinq amies! Peut-être même six.

La vérité, c'est qu'Émily N'A PAS aimé sauter en parachute. Bien sûr, elle a ensuite clamé à toutes ses amies envieuses que c'était «vraiment cooooool ». « Super cooooool, gééééééééénial, triiiiiiiiiiipant. » Bref, genre, vous voyez le genre.

Mais la vraie histoire, c'est qu'elle a eu une très gênante envie de vomir son burger aux oignons avalé en toute hâte une heure avant de sauter. Beurk.

Que se serait-il passé si elle avait vomi dans les airs? Aurait-on vu les oignons planer jusqu'en bas? OUAAAAAH!

Mais ce qui est pire que tout, pire que vomir, pire que l'école privée, c'est qu'Émily rougit du nez. Elle a toujours rougi du nez. Pourquoi pas des joues, comme tout le monde? Ou encore des oreilles? Non. Du nez. C'est très joli, on dirait une baie sauvage au milieu d'un visage.

«Meuh! Meuh! Meuuuuuuuuh!»

Le réveil meugle encore à qui meuh meuh. Bon. Il faudrait bien aller l'éteindre. Émily se lève à regret (adieu, draps frais!) et se dirige en

traînant les pieds vers l'appareil. « Mais…
mais… mais ? Il n'y a pas de machin à enfoncer
entre ses cornes, ni de bouton ni de petit truc
derrière ? Comment on l'arrête, alors ? Il aurait
fallu le demander avant », se dit Émily en secouant
le réveil dans tous les sens, sans succès.

« Meuh ! Meuh ! Meuuuuuuuuh ! »

Mais qu'est-ce qui lui prend, à cette vache ?
Émily retourne s'asseoir sur son lit, le réveil
dans les mains. Elle l'a réglé pour qu'il sonne
(meugle ?) assez tôt afin qu'elle puisse se rendre
TRANQUILLEMENT au pensionnat Saint-
Preux (« Et pourquoi pas Saint-Prout tant qu'à
y être ? Ha ha ha ! Saint-Prout ! »). Mais si ça
continue, elle sera en retard pour cause de vache.

« Comme première impression, ce serait
nul-poche. »

L'idée d'entrer au PENSIONNAT Saint-
Prout effraie Émily, même si c'est un pensionnat
où elle ne restera pas dormir. Sa mère a jugé
bon d'envoyer sa fille dans la « meilleu-reu
éco-leu » (à prononcer avec beaucoup de
sérieux) de toute la province. Mais, selon Émily,
il ne s'agit que d'une école pour les gens riches.
Comme elle.

Émily sait que sa mère a beaucoup d'argent.
C'est assez cool, la plupart du temps. Mais c'est
vraiment chiant des jours comme aujourd'hui.
Parce qu'elle ne peut pas aller à la même école

secondaire que tout le monde. (Ok, pas tout le monde, mais Marie-Pier, sa « meilleure meilleure meilleure » amie, ira à la polyvalente. Hé ! Même si elle est riche elle aussi ? ! Oui. Preuve que ce n'est pas parce qu'on est riche qu'on doit OBLIGATOIREMENT aller dans une école privée. Suffit de demander à une mère qui dit OUI !)

« Meuh ! Meuh ! Meuuuuuuuuuh ! »

Annick ouvre doucement la porte de la chambre de sa fille.

— As-tu un problème avec ton réveil, ma loulou ?

— Ben non. Tu vois, il fonctionne TRÈS bien.

— Je vois ça, oui.

Émily, l'air de rien, dépose l'objet qui crie toujours : « Meuh ! Meuh ! Meuuuuuuh ! » (et qu'elle a maintenant envie de jeter par la fenêtre) sur sa table de chevet. Devant elle, suspendu à un cintre devant le grand miroir, l'uniforme obligatoire du pensionnat a l'air d'un mannequin avec une tête en crochet de métal.

— Est-ce qu'il s'arrête à un moment donné, ton réveil ? demande Annick avec un sourire en coin, en s'appuyant sur le cadre de la porte.

— Oui, il doit s'arrêter tout seul. Tsé, comme une lumière d'auto. Comme une sonnerie de téléphone. Comme une alarme de détecteur de fumée. Comme…

— Ok, j'ai compris. T'es de mauvaise humeur. Je vais être dans la cuisine.

Annick s'éloigne, au grand soulagement d'Émily qui se relève et reste quelques instants sans bouger devant les vêtements verts (VERTS!) qu'elle doit porter. Elle les a enfilés il y a quelques semaines dans la boutique spécialisée où ils ont été ajustés à sa taille. La couturière a alors dit : « Comme tu es grande, toi! Tu vas être la plus grande de ta classe. » Ben oui, ben oui. Comme si elle ne le savait pas.

Émily est grande. Une grande échalote. Tout en jambes, comme a dit un jour son professeur d'éducation physique du primaire. « Dommage que tu ne t'en serves pas pour faire du sport. » Blabla prout. Et si Émily n'aimait pas ça, elle, faire du sport? courir en rond jusqu'à avoir le nez de la couleur d'une petite tomate mûre? Non merci. Pourquoi est-elle née avec de si grandes jambes? Ah! Seigneur, pourquoi?

Émily touche le tissu de la jupe à carreaux. Il est raide, rugueux, pas du tout soyeux, malgré la frange en bas qui est plutôt jolie. Le chemisier blanc orné de l'écusson de l'école a pourtant de la classe, il est tout doux. Et dire que ce sont des vers (brr!) qui fabriquent la soie. Comme quoi…

Elle enfile le chemisier, attache tous les petits boutons de satin en se demandant quand exactement la satanée vache va s'arrêter. Elle ajuste ensuite la jupe, saisit les grands bas (VERTS!) étendus comme des chaises longues sur son bureau. Il faut admettre que le look ne manque pas d'allure. Il ne lui reste qu'à démêler ses longs cheveux blonds et à se faire, tiens, une tresse lâche dans le dos, comme Fergie. Ce sera joli.

Émily sort de sa chambre et longe le couloir qui mène à la cuisine principale, la plus grande des deux. Madame Alvez, la cuisinière, est déjà partie, et les bons arômes de muffins maison et de fougasses au romarin embaument toute la cuisine. Émily se réjouit de percevoir aussi une odeur de clou de girofle. Elle adore quand la cuisinière fait un plat marocain pour le repas du soir.

Annick est déjà habillée et maquillée, debout devant le grand comptoir, son café à la main.

— Alors, comment tu te sens? demande-t-elle à sa fille en déposant la petite tasse, avant de s'essuyer les mains.

— Bien.

— Tu es nerveuse?

— Un peu, lâche Émily en croquant dans un des muffins.

Comme elle le pensait, ils sont délicieux. Elle s'assoit sur un des tabourets alignés près du comptoir.

— Tu as ta montre?

— Oui, maman. J'ai aussi pensé à mettre une petite culotte.

Annick ne relève pas. Elle connaît sa fille, elle sait qu'elle est bougonne le matin. Surtout, elle comprend qu'Émily lui en veut de l'obliger à aller au pensionnat. « J'ai adoré ça quand j'avais ton âge », lui avait-elle dit pour tenter de l'amadouer. Mais Émily n'en a que faire d'aller à la même école que sa mère. Pour elle, c'est une vieille école, remplie d'ados déjà vieux, portant des lunettes et ne s'amusant jamais. Ja-mais.

Émily avale sa bouchée de muffin de travers. Elle déteste être arrogante avec sa mère. En fait, elle déteste sa mère de la rendre aussi impatiente. C'est compliqué. Elle ne sait plus trop à qui elle en veut. Mais une chose est sûre, elle voudrait être seule dans la cuisine avec le reflet du soleil et son muffin.

— Je m'en vais, lance Annick en s'approchant d'Émily pour l'embrasser sur le dessus de la tête.

C'est leur habitude depuis qu'Émily a demandé à ne plus être embrassée comme un bébé. Un compromis qui lui plaît bien.

— Bonne journée, ma loulou. Tu me raconteras tout ce soir, crie Annick en marchant vers le hall, clic clac font ses talons.

Émily entend le bruit de la porte mécanique du garage qui s'ouvre. Elle parie que sa mère prendra la Jaguar aujourd'hui. Lorsqu'elle porte ce tailleur, elle prend presque toujours la Jaguar.

La jeune fille se retrouve seule dans la cuisine. Elle sait qu'elle a un petit quart d'heure avant de croiser Monique, la femme de ménage, qui a toujours très envie de parler. Mais, surtout, elle réalise qu'il faut qu'elle parte, elle aussi. Elle a choisi de ne pas appeler monsieur Simard, le chauffeur. Elle va y aller à pied. Comme une ado qui se rend à la polyvalente. Comme Marie-Pier.

Le pensionnat est à deux pas. Bon, disons, trois cents pas. Mille ? En tout cas, ce n'est pas loin. Pas loin, comme dans « on peut y aller à pied ».

Elle attrape son sac en cuir dans l'entrée, revêt le cardigan vert (VERT !) en se disant qu'elle n'a jamais autant ressemblé à un grand céleri.

2.

Émily est en sueur, le chemisier tout collé, la jupe de travers et le nez écarlate. En marchant entre les limousines garées dans l'allée devant l'école, elle se dit qu'elle n'aurait pas dû avoir de scrupules. Monsieur Simard ne conduit qu'une Volvo. Elle n'aurait pas eu l'air si différente, après tout.

Une foule d'ados s'entassent dans le grand hall qui est, avouons-le, magnifique, avec ses planchers de bois et ses immenses tableaux. Émily arrive à temps pour voir un vieil homme à l'allure sévère, aux gros sourcils blancs et au nez pointu, qui se place devant le petit lutrin et tape sur le micro. Elle remarque que le silence se fait rapidement dans l'assistance. Peut-être parce que personne ne sait quoi dire aux autres après les vacances ? C'est vrai qu'on est toujours heureux d'avoir quelque chose à faire dans ce genre de situation. Même si c'est écouter un vieux monsieur aux sourcils de hibou.

— Bonjour, lance-t-il d'une voix étonnamment dynamique pour son âge. Pour ceux qui ne le savent pas, je suis monsieur Vigneault, le directeur d'études du premier cycle.

« C'est le directeur ? ÇA ?? »

— Chers amis, soyez les bienvenus au pensionnat Saint-Preux, dit-il en balayant l'assistance de son regard de… grand-duc. Je vois que vous êtes impatients à l'idée de commencer l'année scolaire !

— Pantoute, lance un garçon à quelques pas d'Émily, faisant s'esclaffer une partie du public.

Comme tous les autres, le farceur porte l'uniforme obligatoire. Celui des garçons consiste en un pantalon (ou un bermuda par temps chaud) bleu royal, une chemise blanche et un cardigan bleu. Bien sûr, ce costume est beaucoup, BEAUCOUP plus beau que celui des filles.

Injuste.

Même le tissu est plus beau.

Émily se dit que même les coutures doivent être plus résistantes.

Elle croise le regard du farceur qui semble bien fier de son audace. Il a les cheveux noirs en désordre et les yeux brillants. Mais… c'est…

Émily le regarde fixement pour être certaine de ne pas se tromper. Eh oui! C'est bien le garçon que l'on voit toujours à la télé. Celui qui joue de la guitare dans la publicité de Piscine Plus.

«Celui que Marie-Pier trouve siiiiii beau.»

— Je vois que l'on peut compter sur la présence de monsieur Granger parmi nous encore cette année, souligne le directeur en fronçant les sourcils. Bienvenue, Jérémie. Vous serez plus studieux cette année, j'espère?

«Jérémie Granger? C'est son VRAI nom, ça? Wow. JE SAIS SON VRAI NOM! se dit Émily. Eh bien, Marie-Pier va pouvoir arrêter de se vanter d'aller à l'école normale, quand elle saura que Piscine-Plus-hum-hum-Jérémie-Granger va à MON école!»

— Bienvenue donc aux anciens qui nous reviennent, poursuit le hibou. Bienvenue aussi aux nouveaux. Vous entrez aujourd'hui dans une école exigeante où l'on vous demandera d'EXCELLER. Mais vous aurez également la chance de dire que vous avez fréquenté le meilleur collège du pays.

«Poil aux sourcils», pense Émily.

Le discours se poursuit, long et ennuyeux, puis le hibou cède sa place au directeur d'études du deuxième cycle. (Zzzzzz)

C'est interminable. Émily a des fourmis dans les jambes, elle voudrait pouvoir marcher un peu, ne serait-ce que quelques pas, mais la foule est trop compacte. Rien pour se rafraîchir ou pour lui permettre d'aérer son nez qui bout comme de la lave. Elle retire tout de même son cardigan tant bien que mal en accrochant ses voisins, qui la regardent comme on regarde quelqu'un qui a une quinte de toux au cinéma.

Ou qui pète.

Elle le sait, ça lui est déjà arrivé. (Un pet.) Elle s'est échappée à la projection du premier film de la saga *Twilight*, qu'elle a vu deux fois au cinéma avec Marie-Pier. Elle avait mangé des tacos au dîner. Et les haricots rouges avaient effectué en catimini leur petite trajectoire vers ses intestins. Elle avait réalisé avec horreur qu'elle venait d'évacuer un pet sonore (un pet!!!) au beau milieu du baiser final entre Edward et Bella.

— C'est toi qui viens de faire ça? avait chuchoté Marie-Pier, horrifiée.

— Oui. Chut.

— C'est toi?!!

— Oui, chut! CHUT!

— Tu viens de péter pendant le bec?

— Chut! Reviens-en! Écoute le film!

— Il est fini, le film! avait conclu Marie-Pier en pinçant ostensiblement son nez.

C'était pourtant vrai, le générique défilait sur l'écran. Émily avait eu la désagréable impression que tout le monde la regardait passer dans l'allée en murmurant : « Celle qui a eu un pet pendant le bec ! »

— Tu sais quoi ? avait dit Émily très fort pour que tout le monde l'entende. J'ai essayé une nouvelle crème ce matin. Tu ne trouves pas que ma crème pue le pet ?

Marie-Pier s'était étouffée de rire.

Émily s'ennuie soudainement de son amie, dans cette foule d'inconnus. Elle aurait pu rire du hibou avec elle. « Je ne sais pas s'il dort debout comme un vrai hibou… », lui aurait-elle chuchoté. Mais elle n'a personne à qui dire sa blague. Elle repère les finissants dans un coin, qui chahutent un peu. Ce sont les plus vieux de l'école. Il n'y a pas si longtemps, c'étaient Marie-Pier et elle, les plus vieilles de leur école.

Enfin, les discours sont finis et on appelle les groupes. Une excitation parcourt le grand hall, et tout le monde se met à murmurer. Émily observe Jérémie Granger. C'est vrai qu'il est mignon, avec son col de chemise relevé, ses manches roulées et son air taquin. Un rebelle, celui-là. Il jouit visiblement d'un statut spécial auprès des autres élèves en raison de sa célébrité. Il a d'ailleurs remarqué le regard insistant d'Émily, et il semble ravi d'être encore une fois reconnu.

Après avoir fait rire de nouveau ses camarades pour une raison qui échappe à Émily, Jérémie quitte finalement le hall avec les autres élèves de troisième secondaire. Bientôt, il ne reste plus que les nouveaux dans la grande pièce. Évidemment, personne ne parle ou presque. « Qui sont tous ces autres élèves ? » se demande Émily, curieuse, en se tâtant le nez. Elle espère qu'il est moins rouge maintenant. Elle tente de lisser sa jupe qui demeure un peu fripée. Poche.

Elle aperçoit sur sa gauche une ravissante fille aux cheveux bruns dont la jupe, visiblement, n'est pas froissée. Elle a des yeux de biche, maquillés, et un visage adorable. « Elle ressemble à Megan Fox », se dit Émily. Et ses cheveux sont ondulés comme dans les publicités de shampoing.

Est-ce que c'est un compliment valable ? « Tu as l'air d'une publicité de shampoing ? » Peut-être serait-ce une bonne approche pour s'en faire une amie. Hum.

Comme Émily le craignait, tous les élèves, filles et garçons, sont plus petits qu'elle, ou presque. Il y a bien une fille, dans un coin de la salle, qui a la carrure d'un joueur de football. Et il y a une élève vraiment petite.

« On dirait une gerboise, pense-t-elle. Elle doit m'arriver aux genoux, celle-là. »

Être plus grande que tous les garçons est vraiment épouvantable. Tout d'abord, ceux-ci vous en veulent, bien sûr. Quel garçon souhaite se faire rappeler qu'il n'est pas encore un homme? Ah. Pourquoi les garçons ont-ils leur poussée de croissance seulement au milieu du secondaire? Top humiliant pour tout le monde.

Ensuite, il n'est pas rare, lorsqu'on est si grande, de passer pour une grande épaisse. Une débilissime qui a doublé trois années de suite. Quel garçon voudrait être vu en compagnie de la grande nounoune du lot? Aucun.

Résultat, on se courbe en deux, on essaie d'atténuer la chose. Et on finit la journée avec un mal d'épaules et une mère qui répète au moins trois fois pendant le souper: «Tiens-toi droite!»

On dirige maintenant le groupe de nouveaux vers une grande salle encore plus jolie que la première, où il y a ENFIN des sièges. Bon, ce sont de longs bancs en bois qui n'ont pas l'air confortables et qui grincent, mais ça fera l'affaire. Émily prend place sur l'un d'eux et glisse sa mallette Gucci entre ses pieds. Curieusement, la gerboise vient s'asseoir à côté d'elle. Elle a un immense sac à dos qui semble l'encombrer. Que peut-elle bien avoir dans ce sac monstrueux, un premier jour d'école?

La gerboise semble exténuée. Elle adresse un sourire à Émily avant de croiser ses petites mains sur ses genoux. En fait, le mot « petites » n'est pas approprié. Ses mains sont plutôt minuscules. Microscopiques. Gerboise est une ado modèle réduit. Un personnage de crèche, un santon de Noël. Émily l'imagine aussi dans une roue pour hamster. HA HA HA HA. Drôle.

— Je m'appelle Emma, glisse la fille à l'intention d'Émily qui se réjouit de ne pas avoir à serrer sa main miniature.

Déjà qu'elle est grande, elle n'a pas envie d'avoir l'air d'être dotée de paluches d'ours. Ses mains sont normales mais, en comparaison de celles d'Emma, on dirait celles de l'Abominable homme des neiges.

— Je parie que ça va être la présentation des professeurs, poursuit Emma. Je me demande qui seront les professeurs de sciences. Et toi ?

— Heu… je ne sais pas.

— Je trouve cette école fantastique. Et tellement BELLE ! J'ai l'impression d'être dans un château.

— Hé ! C'est pas Poudlard, ici. On n'est pas à l'école des magiciens pour bébés, rigole un garçon dans la rangée de devant.

Emma se rembrunit. Émily éprouve un peu de pitié pour son étrange voisine qui vient de se faire aussi vite rabrouer. Celle-ci avait le mérite d'être enthousiaste pour vrai, elle. Mais Émily est en même temps apaisée de ne pas avoir à poursuivre la conversation. C'est effectivement le moment de la présentation officielle des professeurs. Sans surprise, ils ont tous l'air sévères, austères, on dirait des prêtres et des religieuses.

« Eh bien, ça promet ! » se dit Émily.

Elle n'est visiblement pas la seule à être déçue. Emma se retourne vers elle et lui chuchote d'un air désespéré :

— Moi qui croyais que le seul obstacle à mon bonheur cette année serait d'avoir l'air d'un petit pois vert…

Et Émily trouve que c'est la chose la plus drôle, la plus délicieuse qu'elle ait entendue depuis très longtemps.

3.

Émily rentre de sa première journée d'école soulagée. Personne ne lui a parlé de son nez rouge. Et elle a déjà une amie, qui est aussi dans sa classe. (Pas difficile, il n'y a que deux classes de quinze élèves.) Bon, Emma est plus une gerboise qu'une amie pour l'instant, mais ça viendra, Émily en est certaine.

Les lieux d'étude qu'elle a visités lui plaisent, avec leurs moulures de bois et leurs bancs d'église. Les salons de récréation sont pour leur part spectaculaires avec leurs écrans plats, leurs jeux vidéo, les grands divans pour lire ou papoter, les tables de billard, le hockey sur air. Un vrai paradis.

La cafétéria est également très jolie. Elle est entourée de grandes fenêtres qui s'ouvrent sur le petit bois derrière l'école. Les fenêtres sont si grandes qu'on peut les ouvrir comme des portes afin de sortir manger dehors sous les arbres. Mais, surtout, surtout, Émily a hâte de raconter à Marie-Pier qu'elle va à la même école que Jérémie Granger, le garçon de la pub de Piscine Plus!!!

Elle s'empresse donc de retirer ses bas aux genoux (VERTS), sa jupe à carreaux (VERTE), son chemisier à écusson et son cardigan (VERT) qu'elle jette pêle-mêle sur le tapis moelleux de sa chambre. Elle adore son tapis. Un tapis blanc si épais que les pieds s'y enfoncent comme dans un gâteau. Un gâteau pour pieds.

Elle enfile un jeans, un t-shirt à grand col et ses baskets. Puis elle se dirige vers l'ordinateur en défaisant sa tresse. Il n'y a aucun courriel de Marie-Pier encore. Tiens. Pourtant, elles avaient convenu de s'écrire DÈS leur retour à la maison. Et Émily sait que Marie-Pier avait seulement une demi-journée d'école aujourd'hui, en l'honneur de la rentrée. «Pas de danger que l'école privée en fasse autant. Tsss.»

Émily ouvre donc une fenêtre de message et commence à écrire avec excitation.

De : Émily Faubert (emilfaubert@hotmail.com)
À : Marie-Pier Thibault (mpt12@hotmail.com)
Objet : POTIN DE LA MORT

Allo ! ! ! ! T'es pas revenue ? Devine qui est à mon
école ? Piscine Plus ! ! ! ! ! ! Il est en secondaire 3.
T'avais raison, il est cute. Je l'ai VU. ☺ Comment
c'était, la poly ?
Lov
xxxxxxxxxxxxxxxxxxxxxxxxxxxxxxxxxxxxxxxxxxxxxxxx
xxxxxxxxxxxxxxxx

Émily clique sur « envoyer », puis se dirige
vers son iPod bien posé sur le socle d'écoute.
Les haut-parleurs en dessous sont IMMENSES.
Émily aime écouter la musique assez fort pour
que le jus de raisin fasse de petites vagues dans
son verre à l'autre bout de la pièce. C'est l'avan-
tage d'avoir une chambre aussi grande et aussi
éloignée du reste de la maison.

Lorsque la mère d'Émily lui a parlé de cette
nouvelle demeure, elle lui a vanté le sous-sol.
« Tu pourras le prendre au complet pour en
faire ta chambre », lui a-t-elle dit. Mais quand
Émily a vu le solarium, elle a eu un vrai coup
de foudre.

— C'est ça que je veux ! s'est-elle exclamée,
presque en transe. Je veux faire ma chambre là-
dedans !

Le solarium est carrément à côté de la maison, comme une petite annexe. Il faut longer
un couloir pour s'y rendre. On entre alors dans

une immense pièce ronde vitrée. Bien sûr, il a fallu changer les fenêtres pour des murs vitrés insonorisés et les munir de rideaux. Mais le résultat est saisissant. C'est une véritable cachette. Un coin bien à elle.

Émily ouvre le lecteur et lance sa liste de Rihanna. Les guitares vrombissent dans toute la chambre. Elle agrippe la brosse à cheveux laissée dans un coin, par terre, la place devant sa bouche comme un micro et commence à chanter avant même que la chanteuse ait poussé sa première note. Émily ajoute des voix à toutes les chansons. Il manque toujours une mélodie à superposer à la musique. Un choubidou. Un lalalaaaaaaaaaaaaaa, lalalaaaaaaaaaaaaaaaaaa. Ou carrément un accord de voix qui rend le tout plus beau et plus harmonieux.

Marie-Pier a toujours détesté cette habitude.

— Ça m'empêche de chanter, Émil! Arrête donc! Je viens de perdre l'air, là!

— Ben voyons, c'est pas difficile, t'as juste à suivre le chanteur!

— Ben je le sais, nounoune. L'affaire, c'est que quand tu chantes tes affaires par-dessus, je le trouve plus, le chanteur.

— Je chante pas si fort que ça!

— Ben oui, tu chantes fort! crie chaque fois Marie-Pier.

— Mais c'est plus beau comme ça !

— Parce que tu penses que t'es meilleure que Enrique Iglesias ?

— Euh… oui !!! Ce que je veux dire, c'est qu'il serait vraiment meilleur AVEC moi !

Une dispute qui se termine toujours par la décision d'arrêter la musique.

Émily monte sur son lit, au milieu du solarium. Son lit est rond, il fait une scène de spectacle parfaite. Elle ramène ses cheveux devant son visage et se courbe en avant, comme pour s'enrouler autour de son micro-brosse à cheveux. Elle se lance alors dans une performance bien à elle qui déchaîne un public imaginaire autour du lit. La guitare basse résonne dans sa poitrine comme un deuxième cœur. Ses oreilles bourdonnent. Émily est en orbite sur la planète musique.

Elle la chante une fois. Deux fois. Trois fois. La fonction « *repeat* » est une invention formidable. Les brosses à cheveux aussi. C'est alors que Marie-Pier entrouvre la porte et glisse sa tête réjouie entre cette dernière et le cadre.

— *Yeah* !!! hurle-t-elle.

Émily sursaute, en tombe presque du lit. Rouge de honte (la rougeur se concentrant évidemment sur son nez), elle court baisser le son.

— Tu m'as fait peur, maudite folle !

— Dis donc, tu fais encore ça, toi, des *lipsyncs* ?

— C'est pas un *lipsync*, je chante pour vrai. Pis non, je DANSAIS, c'est tout.

— Avec une brosse à cheveux ? répond Marie-Pier avec un air taquin.

— Je me peignais en chantant, si tu veux savoir. Ça démêle mieux de brosser sur un rythme. Mais c'est quelque chose que tu peux pas comprendre, alors…

Émily sait qu'elle a blessé son amie en disant ça. Marie-Pier a les cheveux tellement frisés qu'ils ont l'air d'une grosse boule de Noël autour de son visage. Les cheveux de Marie-Pier, c'est son obsession. Sa bête noire. Son rouge de nez à elle. Elle a tout essayé : le fer plat, les cheveux courts, longs, attachés, détachés. S'ils sont longs, elle a l'air d'une vadrouille. S'ils sont courts, elle a l'air d'un bulbe. Les cheveux de son amie, c'est maintenant un sujet tabou.

Un silence s'installe dans le solarium. Marie-Pier avec sa boule de Noël (elle a choisi de les garder mi-longs, ce qui lui donne VRAIMENT l'allure d'une boule de Noël) va s'asseoir devant le bureau d'Émily. Cette dernière triture sa brosse à cheveux comme si c'était un bout de papier collant qu'elle n'arrivait pas à décoller de ses doigts.

— Veux-tu faire un tour de scooter? propose Émily sur un petit ton gêné.

Elle sait que son amie adore le scooter et qu'elle n'a pas le droit d'en faire chez elle. Elles n'ont pas l'âge légal de conduire ce genre d'engin. Une autre chose que la mère d'Émily lui permet de faire quand même (HEU… POURQUOI PAS LUI PERMET-TRE D'ALLER À L'ÉCOLE PUBLIQUE D'ABORD?), mais seulement dans les allées entourant la maison.

— Non, pas le goût, répond Marie-Pier.

« Ça y est, elle est fâchée. Et elle a bien raison », se dit Émily.

— Tu devineras jamais devant qui j'ai plaqué rouge du nez aujourd'hui?

— Tu as encore plaqué rouge?

— Mets-en, que j'ai plaqué rouge! J'ai dé-cidé de me rendre à l'école à pied ce matin. Il fait pas juste chaud, tsé, aujourd'hui! On crève! Pis j'étais coincée sous le gros cardigan de laine obligatoire.

— Ben, t'étais pas obligée de mettre le car-digan obligatoire pour marcher, quand même… Ils vous obligent à faire ça?!

— Ben non, rigole Émily.

— Qu'est-ce qui t'a pris?

— Je sais pas, moi. J'étais énervée. J'étais stressée. J'ai mis le costume au complet avant de partir, pis on dirait que j'ai oublié que j'aurais pu enlever un morceau.

Marie-Pier rit. Fiou.

— Je suis donc arrivée au pensionnat avec un beau look de renne au nez rouge de Noël, poursuit Émily, ravie de voir que Marie-Pier lui a pardonné sa brusquerie. Et devine devant qui je suis arrivée ?

— Je sais pas !

— « Piscine Plus, c'est extra, on y joue, on y va ! » chantonne Émily.

— NON ?!!

— OUI !!!

— Il va à ton école ???

— OUI !!! Je viens de t'envoyer un courriel pour te l'annoncer !

— Piscine Plus va à ton école ?

— Il ne s'appelle pas Piscine Plus, tu sauras. Il s'appelle Jérémie Granger.

— Jé-ré-mie Gran-ger, répète rêveusement Marie-Pier. C'est un maudit beau nom.

— Ben là, exagère pas.

— Tu lui as parlé ?

— Heu… non. Mais il m'a vue par exemple, s'empresse d'ajouter Émily. Et je peux te dire qu'il a l'air vraiment populaire à l'école. Il a même fait une blague devant tout le monde et devant le hibou !

— Hein ? Quel hibou ?

— Le directeur. Il a l'air d'un hibou. Et puis, tout le monde a ri.

— Eh ben!

— Je te le dis.

Marie-Pier reste songeuse un moment.

— Il était habillé comment?

— Ben, tu parles d'une question poche!

— Pourquoi? C'est important, comment il était habillé! C'est difficile de savoir son genre dans l'annonce. Il est en maillot de bain! Est-ce que c'est un *emo*? Ou un *skater*? Ou un…

— Ben, il était tout en bleu royal.

— Nooooooon! s'écrie Marie-Pier, avec le même air effaré qu'en classe neige, quelques années plus tôt, alors qu'elle avait aperçu une crotte de nez IMMENSE qui pendouillait dans son masque de ski.

— Marie-Pier, on a un uniforme.

— Oh, mon Dieu, c'est vrai, soupire-t-elle en posant sa main sur son cœur, comme s'il était sur le point de se fendre en deux. J'avais oublié.

— Il était donc en bleu.

— Ben oui, c'est sûr.

— Mais je peux te dire qu'on peut voir son genre un peu quand même, parce qu'il avait roulé ses manches et qu'il avait relevé son col.

— Pis, ça? demande Marie-Pier qui ne comprend pas trop ce que ça veut dire.

— Ben, on n'a pas le droit de détacher nos boutons de poignets. Pis, le col, il doit être baissé en tout temps. C'est écrit dans le «Guide de l'élève».

— Puuuunaise!

Marie-Pier s'amuse à dire «puuuunaise» depuis son voyage en France, l'été dernier. Selon ce qu'elle a alors raconté à Émily, toutes les Françaises disent «puuuunaise» et c'est très, TRÈS tendance. Elle porte aussi autour du cou de longs foulards, qu'elle appelle des «pashminas». Émily a tenté de faire la même chose pour se donner un genre, mais après s'être presque étranglée en restant coincée à une rampe au parc de skate, elle a abandonné l'idée.

— C'est donc ben sévère! Je te dis qu'il faut être rebelle rare pour défaire ses boutons de poignets…, dit Marie-Pier sur un ton sarcastique.

— Et toi, ton école? demande Émily, piquée au vif.

— C'était COOOOOOL! On a fait des jeux tout l'avant-midi pour apprendre à se connaître. Il y avait comme un genre de kermesse. On pouvait gagner des points en croquant une pomme dans un baril d'eau. Ou en transportant des œufs dans une cuiller…

— Ah ouin?

— On a aussi rencontré nos professeurs. C'est le fun de ne plus avoir juste un professeur, hein? Il y en a quelques-uns qui ont l'air vraiment COOOOL. Et puis, tu devrais voir les casiers! On dirait une ville de casiers, tellement c'est grand. Je me suis même perdue dedans avant de retrouver mon chemin. On a aussi le droit de mâcher de la GOMME!!! Pis, à la cafétéria, il y a des FRITES! Des FRITES, tu te rends compte? On peut acheter des FRITES!

Émily soupire. Elle fait une soudaine surdose de «COOOL» et de «FRITES». Se risquera-t-elle à lui parler du bar à sushis de son école? Hum, non. Et elle comprend pourquoi son amie s'extasie autant. La liberté. La liberté du secondaire. C'est comme une porte grande ouverte sur le monde des adultes. Et ça, c'est «cooool» pour vrai.

— On a aussi le droit de sortir à l'heure du dîner, poursuit Marie-Pier, tout excitée. Sans demander la permission. Je peux aller manger des sundaes. Ou aller m'écraser au resto du coin pour chiller avec mes nouveaux amis.

— Pour CHILLER! répète Émily en comprenant que c'est le nouveau mot qui remplacera bientôt «puuunaise».

— Ben oui, pour niaiser, si tu préfères.

— Tu en as déjà beaucoup, des nouveaux amis avec qui tu vas… heu… chiller ? risque Émily d'une petite voix.

— Ouiiiiiiiiiiiiiiiiii ! On est allés en gang manger des burgers en face.

— Ta mère sera pas contente que tu aies jeté ton lunch.

— Hum hum. J'ai DONNÉ mon lunch à quelqu'un, je l'ai pas JETÉ, répond vivement Marie-Pier.

Mais Émily sait que son amie vient de mentir parce qu'elle s'est raclé la gorge tout juste avant. Elle se racle toujours la gorge avant de mentir.

Émily le sait depuis le jour où Marie-Pier a vendu sa bicyclette dans une vente de garage organisée à l'improviste par les deux amies. Elle l'a vendue pour presque rien et sa mère est devenue toute rouge et ensuite toute blanche quand elle l'a appris. Puis elle a hurlé, un hurlement comme dans *La nuit des zombies*. Mais elle était bien vivante. Oh ! ça oui.

Marie-Pier a tenté de lui faire croire qu'elle avait eu un accident et que le vélo était « tout écrapou » au moment où elle l'avait vendu. Mais ça n'a pas marché. Et Marie-Pier a été punie pour un très très long moment.

— Tu restes pour souper ? demande Émily.

— Non, pas aujourd'hui. On va au cinéma. Je suis juste venue par curiosité pour savoir comment c'était, le pensionnat. Quand je pense que tu as vu Piscine Plus!

Émily a un petit « tournimini » dans le ventre. Comme un tournevis mini tournant dans le mauvais sens. Elle sent toujours un tournimini quand elle a de la peine. Quand elle entend Marie-Pier parler des activités qu'elle fait avec sa famille, par exemple. Celle-ci a beau se plaindre de sa grande sœur qui prend des douches trop longues et qui laisse la salle de bain pleine de vapeur (« Puuunaise, même le siège du bol de toilette est plein de buée mouillée! Dégueulasse! »), Émily l'envie. Elle n'est jamais allée au cinéma avec sa mère. Et son père, eh bien, il est parti.

Parti comme dans bye-bye. Comme dans « Je m'en vais au dépanneur chercher une tablette de chocolat et je reviens », mais sans jamais être revenu. Émily se demande parfois si la tablette de chocolat en valait la peine. Elle en est un jour venue à se demander si elle allait détester les tablettes de chocolat jusqu'à sa mort.

« JE DÉTESTE LES TABLETTES DE CHOCOLAT. »

Mais s'il avait menti? S'il était parti acheter un sac de chips? un paquet de gomme? des bâtons de réglisse? une revue *Fun Fun*?

«JE DÉTESTE TOUT CE QU'ON TROUVE DANS UN DÉPANNEUR???»

Hum… Que deviendrait Émily sans la revue *Fun Fun*? Oh, et puis, tout ça est trop compliqué. Qui dit que c'est pour aller au dépanneur qu'il est parti? C'était peut-être pour aller au petit coin…

Émily imagine alors son père coincé dans une toilette chimique bleue. Prisonnier pendant des années, assis sur la cuvette, amaigri, les cheveux longs, à faire des sudokus en espérant qu'on vienne le délivrer, pendant que des gens, formant une file monstre, attendent devant la porte en tapant du pied et en disant : « C'est donc bien long!!! »

Émily regarde Marie-Pier monter la côte vers sa maison située un peu plus loin, dans le même quartier. Il faut descendre au moins un million de marches avant d'atteindre la rue principale. Or, puisque son amie habite dans le même lotissement de maisons, elle n'a qu'à grimper la petite pente derrière chez elle et traverser le talus pour rejoindre la série d'allées privées.

Alors que Marie-Pier enjambe le buisson, Émily remarque qu'un string dépasse de son pantalon. Un STRING! Quand a-t-elle acheté ça? Pourquoi ne lui en a-t-elle pas parlé? Elles avaient pourtant convenu de ne JAMAIS porter de string parce que… eh bien… parce que ça doit gratter.

A-t-elle porté un string à l'ÉCOLE ? Seigneur ! Émily pense à sa petite culotte mauve, et le petit tournevis mini revient. « Ça y est, se dit-elle. On est dans le monde des grands… » Et Émily n'est pas certaine que ce soit une si bonne nouvelle, finalement.

4.

« Meuh ! Meuh ! Meuuuuuuuh. »

Eh bien, le réveil-vache fonctionne toujours. Émily avait peur que la pile soit complètement morte, après avoir laissé meugler l'appareil, hier, durant une bonne partie de la matinée. Qui sait combien de temps cette vache a fait « meuh ! » après son départ…

Émily sort du lit en tentant tant bien que mal d'agrémenter le « meuh ! » de l'animal électronique d'une chansonnette improvisée. C'est plus difficile que de chanter sur du Katy Perry, disons. « Meuh meuh meuuuuuh la la la, tididam, tididi. »

Aujourd'hui, la journée commence avec un cours d'éducation physique, et Émily peut donc porter le bermuda (VERT !) obligatoire qui lui va nettement mieux que la jupe (VERTE), celle-ci ressemblant à un petit chapeau (!)

posé sur ses longues jambes. Elle a aussi le droit de porter les baskets de son choix. Mais le (ouach) chemisier à manches courtes («Ouache! Manches courtes!») est également orné de l'écusson.

Elle arrive donc au pensionnat Saint-Prout plus fraîche que la veille et s'empresse de ranger ses choses au vestiaire. Elle monte ensuite au gymnase et découvre qu'Emma-Gerboise est déjà arrivée et qu'elle est assise sur un banc avec un livre. Les autres discutent ou attendent, debout, près des barres asymétriques.

Attendez…

DES BARRES ASYMÉTRIQUES?

«Qu'est-ce qu'elles font là, ces barres asymétriques? Elles n'étaient pas là hier lors de la visite! Ni les anneaux suspendus. Ni la poutre. Ni l'autre truc, là, le cheval de je sais pas quoi! Quoi? "Gymnastique" veut donc dire "gymnastique", comme dans… "gymnastique"?!»

Émily éprouve aussitôt un sentiment de panique. Elle ne pourra jamais se lancer d'une barre asymétrique. Elle pourra encore moins marcher sur une poutre.

Une poutre!

U-ne pou-tre!

Je ne sais pas si vous vous rappelez (sûrement, sinon retournez lire le début ou lisez plus attentivement hé ho), Émily est grande.

Et le vertige, c'est la peur d'être loin du sol. Alors, quand on est grand, on est évidemment encore plus loin du sol que quiconque…

Émily se glisse sur le banc à côté d'Emma-Gerboise en sentant (bien sûr!) son nez s'enflammer.

— Salut. Heu, tu penses qu'on va faire de la gymnastique?

— Ben oui, je pense. C'est MUSTI chouette, non?

«MUSTI chouette? Heu… non. Désastreux? Cataclysmique? Fin-du-mondesque?»

— Heu… ouais, cooool, répond pourtant Émily en hochant la tête.

— Je n'ai jamais fait de gymnastique avec des appareils.

— Moi non plus.

— Est-ce que tu penses que je vais pouvoir atteindre la première barre quand même?

— Ben, pourquoi pas? C'est pas parce que tu n'as jamais fait de barres que…

— Nooooon, je veux dire: même si je suis COURTE?

Émily réprime une envie de rire. Oui, «courte», c'est bien le bon mot. C'est moins insultant que «petite».

Elle n'a pas le temps de répondre, le professeur vient d'entrer. Il s'agit d'un ancien athlète olympique de triathlon, et il tient un cartable brun qui a l'air minuscule, appuyé ainsi sur le muscle de son bras droit. On dirait Popeye. Sans la pipe. Et avec des cheveux.

— Bienvenue dans la classe d'éducation physique, dit-il d'une voix forte. Comme vous avez pu le constater, nous commencerons l'année avec la gymnastique artistique.

Plusieurs garçons rechignent et font la grimace. C'est vrai que ce sport n'est pas très, disons, masculin. Ils auraient sans doute pré-féré commencer par le cross-country ou la boxe.

— Je sais, je sais, vous croyez que c'est facile, que c'est pour les filles, et patati et patata. Mais vous verrez, c'est extrêmement exigeant. Vous devrez faire gonfler vos muscles en faisant des pompes au sol et, à la fin du trimestre, vous voudrez tous porter des camisoles comme Vin Diesel.

Les garçons rient. Surtout les plus malin-gres. Le costume d'éducation physique peut être porté avec le chemisier ou la camisole, mais aucun des garçons n'a osé la porter ce matin. Chez les filles, il y a uniquement Shampoing, la fille aux cheveux soyeux qu'Émily a remarquée hier, qui a eu l'audace de l'enfiler, et Émily comprend pourquoi. À douze ans, elle a déjà une poitrine d'adulte et est étonnamment musclée. Son teint est aussi parfait, d'une couleur caramel doux. En résumé, elle est aussi flamboyante que la veille, et Émily en éprouve un pincement de jalousie qui atteint son point culminant lorsqu'elle voit ses baskets Vans édition limitée. « TROP BEEELLLES ! »

Elle remarque alors que les garçons ont l'air aussi mal à l'aise que les autres filles dans leur uniforme. Ils ont tous les jambes comme des pailles et ils croisent leurs bras sur leur torse maigre comme si de rien n'était. Mais on ne croise pas ses bras quand on est à l'aise, Émily le sait.

— D'ailleurs, je remarque que la personne la plus musclée de la classe semble être une fille ! continue monsieur Biceps. (Ou triceps ? Quel est le muscle du bras d'en haut déjà ?) en pointant son index vers Shampoing. Je vais vous montrer à quel point ça prend de la force, de faire de la gymnastique. Mademoiselle, venez ici.

Il fait signe à Shampoing. Shampoing et ses bras musclés. Elle fait peut-être de la gymnastique en cours privé ?

— Quel est votre nom ?

— Maud, monsieur.

— Eh bien, Maud-monsieur, vous avez l'air en forme. Vous vous entraînez ?

— Oui, monsieur. Je fais de l'athlétisme depuis que je suis petite.

— Aaaaah! c'est bien! Eh bien, vous allez vous installer sous la barre là-bas et nous montrer tout le savoir-faire de vos bras.

Maud s'avance d'un pas félin. Pendant quelques secondes, Émily a peur que Maud-Shampoing puisse réussir une pirouette aussi facilement qu'un éternuement. Mais, une fois sous la barre, celle-ci a beau forcer jusqu'à devenir toute rouge, elle ne parvient pas à lever les jambes du sol.

— Comment ça va, Maud?

— Pas très bien, dit-elle avant de lâcher la barre en riant.

Même ses dents sont parfaites…

— Vous pensiez que ce serait facile, hein?

— Ouais…

— Eh ben non, ça l'est pas.

— Monsieur, ça l'est encore moins quand on ne se rend même pas à la barre.

C'est la petite voix flûtée d'Emma qui vient de résonner dans tout le gymnase. Émily éclate de rire. La classe aussi. Monsieur Biceps-Triceps la regarde en souriant.

— Quelque chose me dit pourtant que vous devez exceller en autre chose, dit-il. Mademoiselle?

— Nolin. Emma Nolin.

— Mademoiselle Nolin. Je ne suis pas inquiet pour vous.

— Oh! moi non plus. Seulement, je pense que la formule mathématique de traction qui explique ce mouvement ne m'aidera pas beaucoup à REJOINDRE la barre.

— Eh bien, vous ne ferez pas de barre, répond-il avec un clin d'œil. Allez, hop! tout le monde au sol et trente pompes. TOUT DE SUITE.

Oui, se dit Émily, Emma serait une amie idéale. Fantastique. Si elle pouvait ne pas lui arriver aux rotules. Parce qu'une amie trop petite, quand on est trop grande, c'est pas idéal pour faire la conversation. Top torticolis.

Après une série de pompes au sol («Pfff! pfff! pffff! pffff!») qui laisse tous les élèves exténués, BT (Biceps-Triceps) annonce que la classe peut explorer les appareils avant de s'y mettre sérieusement.

— Vous en aurez moins peur ensuite, dit-il. Mais soyez prudents, ne faites pas de folies. Vous êtes intelligents, à ce qu'il paraît? Montrez-le-moi.

Emma se lève avec enthousiasme et se jette littéralement sur la poutre. «Ah non! se dit Émily. Il fallait que mon amie potentielle aille vers la poutre… Pourquoi? POURQUOI?»

Elle observe Maud et quelques garçons qui se dirigent vers les barres asymétriques. «Heu… non merci. Encore moins.»

Les tapis alors? Un des petits malingres s'amuse à faire des pirouettes. Émily sait bien faire la roue. Mais n'est-ce pas un peu bébé? Fait-on la roue au secondaire? Hum. Émily hésite. À son avis, Maud ne ferait ASSU-RÉMENT pas la roue.

Elle rejoint donc Emma d'un pas lent, la mort dans l'âme. Celle-ci a déjà grimpé sur la poutre et essaie de marcher d'un pas régulier.

— Eille, c'est moins pire que je pensais! lance Emma à Émily.

— Ah ouin?

— Tu devrais venir me rejoindre! On va en profiter pendant qu'il y a juste nous deux.

— Ok.

Émily essaie de grimper d'un coup en enjambant la poutre, mais cette dernière est trop haute.

«Oh… mon… Dieu!»

Juste de penser au mot «haute», Émily a mal au cœur. Elle découvre alors le petit marchepied à côté. «Ben oui. C'est évident, qu'il y a des marches. Pas fort, mon affaire», se dit-elle en y montant, les jambes tremblantes.

Émily se hisse tant bien que mal sur la poutre et parvient à s'y tenir debout. Bon, «debout» n'est pas le bon mot. Disons qu'elle s'y tient accroupie, immobile. Sauf pour les genoux. Ils BOUGENT. Elle a l'impression que ses genoux sont hors de son contrôle et qu'il faudrait un lasso pour les capturer, comme dans un western. Elle demeure penchée vers l'avant, les bras en soucoupe, et pense à un burger double fromage pour se donner du courage.

— Qu'est-ce que tu fais là ? ! demande Emma qui se tient à l'autre bout de la poutre.

— Ben, tu le vois, je me repose.

— Quoi ?

— Ben oui, tu le vois pas ? Je prends du soleil. Ah ! c'est donc bon. C'est relaxant à mort.

— Hahahahahahaha ! Attends, je vais aller vers toi.

— Non non noooooooooooon, BOUGE PAS. Reste là. Tu vas faire bouger la poutre.

— Ben, voyons donc ! La poutre est en bois. C'est pas un pont en corde, là.

— On sait jamais, dit Émily, toujours penchée et immobile.

— Ah oui, c'est vrai, il y a peut-être aussi des crocodiles en dessous ! Hahahaha ! Bon. TOI, bouge pas. Je vais aller t'aider.

Emma enchaîne une série de petits pas de côté jusqu'à Émily qui, elle, est au bord des larmes.

— C'est super poche, se lamente Émily. SUPER POCHE. Poche poutre.

— Veux-tu prendre ma main?

— Je suis même pas capable de te regarder, penses-tu SÉRIEUSEMENT que je peux prendre ta main?

— Oui.

— Oh.

Émily lève doucement les yeux vers la gerboise. Ce qui est pratique, c'est qu'elle n'a pas besoin de lever les yeux très haut. Et quitter le plancher des yeux est, en fait, une très bonne idée. Émily se sent soudainement beaucoup mieux, malgré ses genoux qui continuent de danser la samba.

— Salut, murmure Émily en plantant son regard dans les yeux noisette d'Emma.

— Salut! lui répond Emma. Tu vois, c'est moins pire quand on regarde pas en bas.

— Ouais. J'irai pas jusqu'à dire que c'est LE FUN, par exemple. Est-ce qu'on peut faire connaissance en bas? Je veux dire, tsé, on pourrait se dire « salut, veux-tu être mon amie? » pis tout le reste, EN BAS?

— Ben oui. Je vais descendre, pis t'aider à descendre.

Bon. Emma passera carrément sous la poutre une fois debout. Son aide, bien que gentille, ne sera pas suffisante. Émily est coincée, à demi inclinée sur une poutre, et elle sent qu'elle restera là jusqu'à ce que la poutre se biodégrade.

Une fois au sol, Emma pose ses petites mains sur les pieds d'Émily.

— Tu sens mes mains sur tes pieds? Viens les toucher, tu vas pouvoir t'asseoir après.

Et comme par magie, c'est vrai. Émily parvient à plier ses genoux («YÉ!») et réussit à s'asseoir sur la poutre («YÉ! YÉ!») en suant l'équivalent d'une piscine de sueur.

«OH… MON… DIEU!»

Une chance que Piscine Plus n'est pas dans sa classe!

— C'est ça, le truc, pour le vertige, dit Emma. C'est une affaire d'équilibre dans l'oreille interne. Faut te calmer les osselets. Mouah hahaha! Elle est drôle, cette blague! ajoute-t-elle en s'esclaffant toute seule.

— J'ai pas mal aux oreilles pantoute. C'est mes genoux qui ont pété une coche, répond Émily qui ne comprend rien de ce que dit Emma.

— À cause de tes oreilles, répète cette dernière.

— Moi, je pense aussi que c'est tes jambes, le problème, lâche Maud en passant devant elles. T'en as trop long à déplier.

«La vache», pense Émily. Et encore, c'est une insulte à son réveil-vache. Maud a l'air SI COOL, pourtant. Comment peut-elle être si méchante?

— Oh! le boa, susurre Emma en la regardant s'éloigner.

— Haha! Le boa. EXCELLENT!!!

— As-tu remarqué? Elle a une toute petite langue fourchue.

— J'ai surtout remarqué qu'elle a vraiment des beaux cheveux.

— Bof. Elle va tout perdre ça lors de la mue.

— Hahahahahaha!

Finalement, le cours est plus agréable qu'Émily ne l'avait pensé. L'apparente liberté qu'elle éprouve la grise un peu.

Même la douche après le cours est moins éprouvante que prévu. Émily se risque à chanter sous le jet d'eau. Et, miracle! elle entend la petite voix (horriblement fausse) d'Emma se joindre à elle depuis une autre cabine. Elle sent qu'il n'y aura peut-être pas de tournimini aujourd'hui.

5.

— Oh regarde ! dit Emma en pointant Maud du doigt.

Celle-ci trottine vers chez elle en longeant le trottoir opposé à celui qu'ont emprunté les deux amies. Emma a accepté d'aller chez Émily pour quelques minutes à la fin de la journée d'école, et les deux filles marchent au soleil. Dans leur uniforme, évidemment.

Maud porte une jupe à brillants et une camisole noire, ce qu'Émily trouve vraiment COOL.

Elle se sent idiote de ne pas avoir pensé à retirer son costume dès la fin de la journée, elle aussi. Emma et elle ont l'air de deux petites premières de classe toutes fières de leur costume (VERT), alors qu'il est horrible. C'est décidé, demain, elle apportera des vêtements pour le chemin du retour.

— Tu habites vraiment ici ? demande Emma une fois arrivée devant le large escalier en pierre qui conduit à la porte principale de la maison d'Émily.

— Oui.

— Et tu montes tous ces escaliers chaque fois ?

— Non. D'habitude, je passe par-derrière, il y a une allée. Disons qu'aujourd'hui, j'ai envie de me faire des muscles de genoux.

— Ah oui, ok.

Elles grimpent donc avec effort les grosses marches en discutant. Emma est surexcitée dans son cardigan trop grand. («Mais qu'est-ce que la couturière a fait ? !») Elle observe avec des yeux ronds la grande maison qui se dresse devant elle. Puis, une fois tout en haut, les deux ados contournent l'immense bâtisse afin d'entrer par le côté.

— Tu n'entres pas par la porte d'entrée ?

— Mais c'est ÇA, la porte d'entrée.

— Non, je veux dire : la porte d'en avant ?

— Ben non ! On entre jamais par là ! Ça, c'est la porte des invités. Quand on reçoit des gens importants.

— Ah, ben merci ! C'est super. Moi, je suis une invitée de côté.

— Hahahahahaha ! Ben non. C'est la porte pour les clients de ma mère ou pour les invités des réceptions. Nos amis, ils passent jamais par là.

Émily note qu'Emma ne lui demande pas quel est le métier de sa mère. Elle en est contente. Sa mère est une avocate relativement connue parce qu'elle a travaillé sur de très gros procès. Et Émily n'aime pas parler de cet aspect de sa vie.

Jean-Pierre est déjà dans le jardin à travailler sur les plates-bandes de fleurs. Il est vrai qu'Émily et Marie-Pier leur ont fait la vie dure cet été, avec les éclaboussements de la piscine.

— Bonjour, Jean-Pierre!

— Bonjour, répond-il sans la regarder.

Émily lève les yeux au ciel exagérément avant d'ouvrir la porte et de faire entrer sa nouvelle amie.

— C'est qui? demande Emma.

— C'est Jean-Pierre, celui qui s'occupe du terrain, pour qu'il reste bôôôôôôôô. C'est un vieux prout. Toujours à bougonner. À croire que les fleurs pis les plantes, c'est plus important que tout le reste. Si je l'écoutais, je pourrais jamais aller jouer dehors. «Attentiooooooon à mes ciiiiiiiiii, pis attentiooooooooon à mes çaaaaaa. Mes asclépiâââââââdes. Mes vergereeeeettttttt-tes...»

— C'est le copain de ta mère?

— Heu... non! Le lien, s'il te plaît?!

— Quoi?

— C'est quoi, le LIEN que tu as fait dans ta tête?

— Heu… rien.

Émily regarde bizarrement Emma. Jean-Pierre, le copain de sa mère? « Hahahaha. Trop drôle. Ma mère ne sortirait jamais avec un domestique! » Emma suit Émily dans la grande maison vide en ne sachant plus où regarder, tellement il y a des choses à voir.

— Et toi, tu habites où? demande Émily en attrapant au passage le morceau de brioche que madame Alvez a laissé pour elle dans le boudoir. Tu n'as pas de chauffeur, même si tu habites loin?

— Haha! Non. J'ai pas ça, moi, un chauffeur.

— Tes parents veulent pas que tu le prennes? Moi, j'essaie de le prendre le moins possible maintenant que j'ai douze ans.

— Heu… non. En fait, je suis pas inscrite de la même façon que toi à l'école.

— Qu'est-ce que tu veux dire? demande Émily en arrêtant de marcher pour la regarder.

— Je suis au pensionnat parce que j'ai gagné une bourse.

— Comme à la loterie??

— Hahahahaha! Non, ce que je voulais dire, c'est que c'est la fondation de l'école qui paye. C'est pas ma mère.

— Pourquoi ?

— Ben, parce que je m'ennuyais dans mon ancienne école.

— Moi aussi, je m'ennuyais dans mon ancienne école ! C'est ennuyant pour tout le monde, l'école ! Surtout les maths !

— T'es FOLLE !!! J'ADORE les maths. C'est MUSTI génial.

— En tout cas, tu comprends ce que je veux dire.

— Moi, je m'ennuyais parce que j'apprenais rien.

— Oh.

— Je veux dire : c'était vraiment trop facile. J'ai sauté deux années. Pis c'était facile quand même.

— Aaah, répond Émily en continuant à marcher.

C'est donc ça, pense-t-elle. Emma est plus jeune qu'elle. Elle a donc dix ans. « C'est pour ça qu'elle est si COURTE. Éclairage total ! » Bon, à son avis, Emma aura quatre-vingt-quinze ans et sera encore petite, mais son âge peut quand même expliquer certaines choses. Le fait qu'elle tripe sur les châteaux comme dans *Harry Potter*, par exemple.

STOP.

Injuste.

Non seulement elle a tripé, elle aussi, sur les châteaux, mais elle a encore dans sa garde-robe sa boîte de poupées Charming, ce qui est encore pire… Elle a dit à Marie-Pier qu'elle les avait toutes données, mais ce n'est pas vrai. Elle ne joue plus jamais avec elles, mais elle ne veut pas les donner non plus… C'est compliqué.

— C'est ta chambre, ÇA ?! s'exclame Emma en entrant dans le solarium.

— Oui. C'est cool, hein ? Je peux mettre la musique très fort et personne entend.

— Ah oui ? As-tu du Shakira ?

— Ouiiiiiiiiiiiiiii !

Émily court vers le iPod touch et sélectionne la liste Shakira. Les premières notes de la chanson *Waka Waka* retentissent et, à la grande surprise d'Émily, Emma grimpe sur son lit et commence à chanter à tue-tête en se déhanchant. Bien sûr, elle chante comme une casserole qu'on échappe par terre. Sa voix est beaucoup trop aiguë et, surtout, elle FAUSSE.

Émily n'a jamais entendu quelqu'un chanter aussi mal. Même lorsque Marie-Pier perd la mélodie, elle ne fausse pas autant. C'est impossible, en fait, de fausser autant ! Mais Emma lance frénétiquement ses bras et ses jambes dans une danse si folle qu'Émily la rejoint sur le lit et se met à sauter pour chanter avec elle. Elle ne s'est jamais autant amusée. Il y a longtemps que

Marie-Pier lui aurait demandé de se taire pour pouvoir entendre Shakira.

— On la remet!!! crie Emma.

Les deux filles chantent la même chanson plusieurs fois de suite en faisant toutes sortes de chorégraphies improvisées. Emma se jette même en bas du lit dans un élan et se retrouve assise par terre, pleurant, tellement elle rit.

— ES-TU CORRECTE? hurle Émily par-dessus la voix de Shakira.

— Ouiiiiiiiiiiiiiiiiiiiiiiiiiiiiiiiiiii!

— QU'EST-CE QUE T'AS FAIT LÀ??

— J'AI VOULU…, commence Emma, avant de reprendre son souffle et de crier: BAISSE DONC LE SON, J'AI PLUS DE VOIX!!!

Émily court baisser le volume. Elles sont toutes les deux en sueur, et la frange brune d'Emma est toute croche, collée sur son front.

— J'ai voulu faire du *bodysurf*, répond Emma en souriant. Mais j'ai oublié que le public était imaginaire.

Les deux filles ont un fou rire interminable.

— T'es donc ben folle!

— Ben oui, j'étais dans ma tête, je pense.

— Moi aussi, ça fait ça quand j'écoute de la musique.

— Je rêve que je suis sur une scène, pour-suit Emma en grimpant à nouveau sur le lit. Je m'imagine qu'il y a une foule devant moi qui crie mon nom pendant que je danse. Pis j'oublie que c'est pas vrai.

— Moi aussi!!! s'écrie Émily en la rejoignant.

— Oui, mais toi, c'est moins nono. Je veux dire : as-tu entendu comment je chante ? Je chante pas comme un pied, je chante comme un pied qui sait pas chanter. Je suis jamais capable de sortir la bonne note. Mais TOI!!! Toi, tu CHANTES! Tu chantes trop bien.

— Tu trouves ?

— METS-EN! T'as vraiment un genre de don. C'est beau, ce que tu fais par-dessus la musique.

— Ah ouin ?

Émily est sincèrement étonnée.

— Marie-Pier, elle, elle aime pas ça, ajoute-t-elle.

— C'est ton amie, Marie-Pier ?

— Oui, c'est ma meilleure meilleure meilleure amie. Ben, tsé, une amie.

— Ben, je suis sûre qu'elle est super fine, mais elle a pas rapport. C'est super beau. Tu prends des cours ?

— Heu… non.

— Non ?

— Non non.

— Tu as appris ça comment ?

— Appris quoi ?

— Ben, à faire des harmonies !

— C'est quoi, des harmonies ?

— Tu sais pas c'est quoi, des harmonies, pis tu sais en faire ?

— Eille, est-ce qu'il y en a une de nous deux qui va répondre à une question, ou on va se lancer des questions de même tout l'après-midi ?

— Une harmonie, c'est un rapport de fréquence, répond Emma. C'est quand on est capable de déconstruire des quintes, comme Pythagore.

— Peux-tu me parler pour que je comprenne, s'il te plaît ?

— C'est quand tu fais l'accord. Tu chantes pas la même mélodie que la chanteuse. Tu en chantes une autre, qui enrichit la musique.

— Ah, ça ! Oui. Ok.

— Comment tu as appris à faire ça ?

— J'ai jamais appris. Ça vient tout seul.

— Ah ouin ?

— Ben oui.

— Wow ! dit Emma en descendant du lit.

Émily sent que son nez commence à plaquer. C'est un compliment que personne ne lui a jamais fait, puisqu'elle ne chante JAMAIS devant personne. Sauf devant Marie-Pier, qui lui demande de ne pas chanter.

— Il faut que je parte maintenant, dit Emma à regret. Ma mère va vraiment se demander pourquoi j'arrive en retard. Je peux lui faire croire que j'ai manqué deux autobus, mais pas quarante.

— Oh, ta mère t'attend? demande Émily, envieuse.

Elle croise rarement sa mère les soirs de semaine. Alors, avoir une mère qui attend à la maison lui semble extraordinaire.

— Ben oui! répond Emma. D'ailleurs, elle est où, la tienne? Elle est pas rentrée encore de son boulot?

— Non.

Émily est déçue à l'idée de voir partir Emma. Elle a adoré danser et chanter avec elle. C'est comme si elles avaient les mêmes idées en même temps. Un super duo de scène. Seulement, il faudrait que quelqu'un débranche le micro d'Emma juste avant l'entrée du public.

— Descends du lit, s'il te plaît, ok? lance Emma. Déjà que j'ai l'air d'une naine de jardin à côté de toi, si t'es sur le lit en plus, je risque un mal de cou à te regarder pendant que je te parle.

— Tu n'es pas si petite que ça.

— T'es peut-être une bonne chanteuse, mais t'es pas une bonne menteuse!

Emma n'est visiblement pas le genre d'amie à qui Émily pourra mentir. Et après avoir dansé et chanté comme elle l'a fait devant elle, cette dernière sent que plus rien ne sera jamais pareil. Elle lui a dévoilé une partie d'elle-même, une partie… secrète. Et elle l'a fait sans y penser.

— Je n'avais jamais fait ça avec personne, dit-elle.

— Fait quoi?

— Ben, tsé, danser et chanter comme ça.

— Ah non?

— Ben non. Toi, oui?

— Ben… oui. Mais j'ai jamais eu autant de FUUUUUUN. Pour une fois que je suis en duo avec quelqu'un qui chante BIEN! Non, pas BIEN! SUPER BIEN!! SUPER SUPER BIEN!!! MUSTI BIEN. On va le refaire, hein?

— Ouiiiiiiiiiiiii!

— Et peut-être qu'un jour, on va pouvoir faire du vrai *bodysurf* sur du vrai monde. Yé!

— Ouin, répond Émily en se disant que son amie est vraiment… spéciale.

Elle accompagne ensuite Emma jusqu'à la porte principale. Puisque les arrêts d'autobus sont tout en bas, il serait idiot qu'elle se perde dans les allées privées situées derrière la maison. Émily réalise qu'aucune de ses amies n'a jamais utilisé cette porte, tout simplement parce qu'elles étaient venues en auto avec leurs parents ou alors habitaient le quartier.

— Bye! lance Emma en commençant à descendre les marches.

— Bye ! lui répond Émily.

— Oh ! une dernière chose ! Il te faudra du TRÈS bon fond de teint sur scène pour la prochaine fois. Pour le nez. On va te trouver ça.

Émily regarde Emma-Gerboise, le petit pois vert, descendre l'escalier jusqu'en bas dans son uniforme trop grand. « C'est donc ça ! Elle n'a pas de couturière, se dit-elle. Elle n'a pas l'allure de Maud, c'est sûr, mais au fond, c'est MUSTI tant mieux. »

6.

— Maman, est-ce que tu chantes bien?

Annick lève les yeux de son ordinateur portable, étonnée. Elle est encore en pyjama (le préféré d'Émily parce qu'il est DOUX-DOUX), mais le canapé sur lequel elle est assise est couvert de papiers. « Encore un gros procès », se dit Émily. Ce n'est pas encore cette fin de semaine qu'elle ira faire les boutiques avec sa mère.

— Pourquoi tu me demandes ça?

— Parce que, cette semaine, une amie m'a dit que je chantais bien. Et puis, ça m'a fait VRAIMENT plaisir, ajoute-t-elle en s'asseyant à côté de sa mère. Croutch. Sur un papier. Oups.

— C'est ta nouvelle amie qui t'a dit ça?

— Oui.

— C'est vrai que tu chantes bien.

— Je veux pas savoir si, TOI, tu trouves que je chante bien. C'EST SÛR que tu trouves que je chante bien. T'es ma MÈRE. Tu trouves TOUJOURS que je suis bonne, même quand je mets le ballon de basket dans le mauvais panier, comme l'année passée. Tu as crié « bravo » ! Tsé !

Annick rit.

— Ben oui, mais c'était un but quand même !

— Pour l'autre équipe, oui ! Pour une fois que tu venais, en plus !

— C'était vraiment une belle journée…

— Ce que je veux savoir, c'est si, TOI, tu chantes bien.

— Heu… je chante… ordinaire. Je suis bonne pour chanter une chanson ordinaire.

— C'est quoi ça, une chanson ordinaire ?

— Ben, tsé : Fraaaagile petit matin sans pluiiiiiiiie…

— Ah ouais ouais, ok ! dit Émily pour la faire taire.

Les vieilles chansons du temps de sa mère, elle les trouve… plates. Et pour une fois que sa mère et elle ont un petit moment pour parler ensemble, Émily ne veut pas perdre de temps à l'écouter chanter une chanson plate.

— Ton père, lui, il était bon. Il faisait comme toi, il ajoutait des choses, dit Annick.

— Ah oui?

— Oui. Il était bon pour faire des accords de voix. Comme toi.

— T'avais remarqué?

— Ben oui, t'étais petite et tu faisais ça. T'avais deux ans, pis tu faisais des variations sur le thème de *Bob l'éponge*.

— Tu m'avais jamais dit ça!

Annick se contente de sourire. Émily sait que sa mère veut souvent lui parler de son père, mais c'est elle-même qui évite toujours le sujet. Elle n'aime pas le tournimini que ça lui fait dans le ventre chaque fois. Mais, cette fois-ci, c'est différent. Elle veut savoir. Un peu.

— Il chantait souvent?

— Ton père? TOUT LE TEMPS. C'en était fatigant des fois. Tout devenait une chanson! Il en avait inventé tout plein pour toi quand tu étais bébé. Il inventait même des chansons sur tes… cacas!

— OUACHE!!! *FULL* DÉGUEU!!!

— Ben oui, dit Annick en riant. Ça me faisait rire. C'était de famille, tu sais. Les Faubert, c'étaient des musiciens. C'était toujours plein de musique, cette maison-là.

Émily se rappelle la maison de ses grands-parents. Ses souvenirs sont flous, mais elle se souvient du piano. Le banc était tellement haut, ses pieds ne touchaient pas le sol, et elle jouait. Elle jouait du piano avec son oncle Alain.

— Comme mon oncle Alain?

— Oui, comme ton oncle Câlin, comme tu l'appelais. Il t'aimait donc, lui!

— Ah oui?

— Ben oui. Tu te souviens pas de toutes les journées qu'il passait avec toi pour chanter? Il était fou de toi. Il avait l'oreille absolue, lui.

— L'oreille quoi? Qu'est-ce que ça veut dire?

— Il avait besoin d'aucun instrument pour accorder un piano. C'est un don musical très, très rare.

— C'est plate qu'il y ait eu de la chicane.

Émily n'a jamais osé parler de ça. Du jour au lendemain, son père est parti pour ne plus revenir, et toute la famille a volé en éclats. Elle n'est plus jamais retournée dans la maison de ses grands-parents Faubert, et elle n'a jamais revu son oncle. Sa mère a voulu lui expliquer ce qui s'était passé. Plusieurs fois. Mais Émily a toujours refusé d'écouter. Et le mystère n'a jamais été résolu.

Annick ferme son ordinateur, retire ses lunettes et s'installe plus confortablement sur le canapé.

— Tu veux qu'on en parle, ma loulou?

« Qu'on parle? se dit Émily. OUI! Je veux qu'on parle! Plus souvent! Tout le temps!

Mais parler de la chicane et de mon père…
hum…»

— Oui. Non. Je sais pas. J'aimerais ça,
mais en même temps… Je sais pas.

— Pose-moi des questions. Tu vas voir. Je
vais répondre juste par oui ou par non. Ça
sera pas trop inquiétant de cette façon. Ok?

— Tu as le temps? demande Émily, surprise, en regardant l'ordinateur posé sur la
table basse.

— Je vais le prendre, le temps, ma loulou.

— Ok, fait Émily, réjouie.

— Ok, répète sa mère.

— Est-ce que tu as des nouvelles des fois?

— De Benoît? Non.

— Est-ce que ça te fait de la peine?

— Plus maintenant, non.

— Et est-ce que tu as des nouvelles de Câlin?

— Noui.

— OUI??!

— Oui. Ben, je l'ai jamais revu. Mais je
sais ce qu'il est devenu.

— AH OUI???

— Oui. Il paraît qu'il est allé étudier aux
États-Unis, mais que, maintenant, il tient une
boutique d'objets usagés. C'est tante Marie-
Ève qui me l'a dit, il y a quelques années. Elle
est tombée sur lui par hasard. J'ai voulu t'en
parler, tu te rappelles?

Émily se souvient. Elle avait fait semblant de ne pas comprendre. Elle n'avait pas envie d'en entendre parler parce que le tournevis tournait, tournait, tournait. Aujourd'hui, il tourne (un peu) moins.

— Tu sais où c'est?

— Je sais que c'est dans un quartier pas tellement loin d'ici. Je peux demander à Marie-Ève, si tu veux.

— Mais est-ce qu'il est fâché?

— Fâché?

— Ben, tsé, on est en chicane.

— Tu sais, Émily, la chicane, elle est entre MOI et EUX. Toi, tu n'as rien à voir là-dedans.

« Ben oui, quand même, se dit Émily. Je suis la fille de mon père, j'ai un lien CLAIR dans la chicane. »

— Je suis sérieuse, Émily, répète Annick en voyant le drôle d'air que fait sa fille. Je ne pense pas qu'il est fâché contre toi. Il serait peut-être même content d'avoir de tes nouvelles.

— TU PENSES?

— Ben, tu le sauras jamais si tu t'essayes pas…

— TU PENSES?

— Veux-tu que je demande à Marie-Ève où est la boutique?

— Non.

Émily se sent nerveuse tout à coup. Elle a les mains moites, le cœur qui rebondit comme une balle de caoutchouc. Bong! Bong! Bing! Bang! Bong! Elle sent que quelque chose est en train de se passer, mais… elle sait qu'elle ne veut PAS que sa mère s'en mêle. Encore moins sa tante Marie-Ève. La sœur de sa mère est bien gentille, mais elle est vraiment impliquée dans cette dispute. Émily l'avait remarqué quand elle était petite. Sa mère disait toujours à sa tante : « Dis pas ça devant Émily. »

En fait, Émily n'a qu'une envie, c'est de parler à Emma. Maintenant que la fin de semaine est arrivée, elle s'ennuie. Elle pourrait appeler Marie-Pier, mais celle-ci comprendrait moins bien son désir de parler de musique avec son oncle Alain. C'est Emma qu'il lui faut.

Émily s'empresse donc de retourner dans le solarium et compose avec fébrilité le numéro d'Emma. C'est une dame qui décroche et elle n'a pas l'air très heureuse de répondre au téléphone.

— Emmaaaaaaaaaaaaaaaa, c'est pour toi.

Émily entend la petite voix d'un enfant très jeune dans le combiné :

— Alloooo?

— Heu… allo? J'aimerais parler à Emma.

— Emma? Emma? Pâtie. Pâtie Emma.

— Ben voyons, qu'est-ce qu'il dit là, lui! marmonne Emma en prenant le combiné. Allo?

— Allo, Emma? C'est Émily.

— SALUT!!!

— Salut!

— Je sais pas pourquoi mon frère a dit que j'étais partie. Il tripe à parler au téléphone ces temps-ci.

— Veux-tu venir chez nous? J'ai comme une mission.

— Une mission?

— Ouin!

— Attends une minute.

Émily entend Emma demander à sa mère la permission d'aller chez elle.

— Allo? dit la voix bourrue du début.

— Oui, bonjour, madame, je suis Émily, l'amie d'Emma. J'aimerais ça, qu'elle vienne chez nous.

— Tu habites où? demande la voix bourrue (vraiment bourrue).

— Ben pas tellement loin de l'école. Emma est déjà venue chez nous.

— Ah oui? Tiens donc.

Émily plaque sa main sur sa bouche. C'est vrai, Emma avait dit qu'elle prétexterait qu'elle avait raté l'autobus pour ne pas inquiéter sa mère.

— Ouuuuui, répond Émily. Mais elle est passée très, très vite. Elle est presque pas entrée.

— Ouais, bon. Ta mère est là?

— Elle est dans le salon, mais elle est travaille.

— Ok. Vous allez rester dans la maison ?

— Ben… oui ? Heu… oui oui.

— Ok.

Émily entend le combiné tomber sur une surface dure. Bang ! La voix d'Emma revient, tout excitée.

— Le temps de me rendre, je suis chez vous.

— C'est donc ben compliqué, toi, quand tu vas chez le monde !

— Ben, pas tant que ça !

— À tantôt.

— À tantôt.

Émily raccroche. Elle n'a jamais besoin de demander une permission à sa mère quand elle va chez Marie-Pier. Et quand elle va chez des amies qui habitent plus loin, monsieur Simard l'y conduit. « Oh, se dit-elle, c'est vrai, Emma n'a pas de chauffeur. C'est peut-être pour ça que sa mère s'inquiète autant… »

Ou bien c'est encore une « affaire de mères ».

« Les affaires de mères, c'est toujours compliqué », pense Émily.

7.

— On va regarder sur Facebook! dit Emma
en retirant ses sandales pour profiter du tapis
mou du solarium.

— Oui, c'est ce que je me suis dit, moi
aussi! répond Émily en s'asseyant devant
l'ordinateur.

— Tu n'as jamais cherché ton père là-
dessus?

— Nooooooon...

— Pourquoi pas?

— Ché pas.

— En tout cas, si ton oncle tient une boutique, il va être sur Facebook. Facebook, c'est
bon pour les affaires.

— Ouin.

Émily tape nerveusement le nom d'Alain
Faubert dans la fenêtre de recherche. Juste en

tapant le nom, elle a des sueurs. Son nez doit être tout plaqué.

— Voilà.

— Oh ouiiiiiiiiii ! Il y a PLEIN d'Alain Faubert.

« Oh… mon… Dieu ! »

Il y en a vraiment trop. « Comment ça se fait ? C'est si banal que ça, de s'appeler Alain Faubert ? songe Émily. Existe-t-il un regroupement d'Alain Faubert ? Qui font des soupers spaghettis ? Avec des épinglettes qui disent : "Je suis un Alain Faubert" ? »

— On va y aller par l'âge, dit Emma. On va en éliminer quelques-uns comme ça.

— Bonne idée ! Ma mère a trente-huit ans. Mon oncle était plus jeune que mon père. Alors, on va dire qu'il a, genre, trente trente-cinq ans maintenant ? Je pense.

— Bon. C'est un début. On élimine les VIEUX VIEUX, puis les MOYEN VIEUX. On va réduire les probabilités. Tiens, je vais faire un petit calcul en pourcentage. Ce sera moins décourageant, d'avoir un pourcentage.

Emma sort le carnet à spirales qu'elle traîne toujours avec elle. Elle a griffonné sur presque toutes les pages, et il contient toutes sortes de notes qu'Émily trouve franchement inutiles. Mais Emma aime son carnet comme on aime un animal de compagnie.

La sélection leur prend une bonne partie de l'après-midi. Certains de ces hommes sont photographiés torse nu. « Beurk ! » D'autres n'ont pas mis de photos d'eux, mais plutôt de leur enfant. Ça n'aide pas, ça non plus. Alain a-t-il des enfants ? Est-il un père, lui aussi, maintenant ? A-t-il quitté sa famille, lui aussi ?…

— Je sais pas c'est quoi, l'idée de se mettre sur Facebook pis de laisser la case de photo vide, ou de mettre une photo de chat ou de chien, grogne Emma. L'intérêt de cette affaire-là, c'est de pouvoir se retrouver !

— On a six Alain Faubert possibles, sans compter ceux qui n'ont pas de photo, répond Émily avec une petite voix tremblante. Qu'est-ce qu'on fait maintenant ?

— Est-ce qu'il y en a un qui lui ressemble ?

— J'avais cinq ans, Emma. Je me rappelle pas ben ben.

— Mais peut-être un petit peu ?

En fait, il y en a un qui a frappé Émily. Il est photographié avec son chien. Et il a l'air tellement gentil que ça pourrait bien être lui. D'autant plus qu'Émily trouve qu'il ressemble un peu au Alain de son souvenir.

— Ben… celui avec le chien, peut-être.

— Ouiiiiiii ! Moi aussi, je me disais que ça pouvait être le bon. Il lui ressemble ?

— Oui.

— Bon, écris-lui !

— Tout de suite, là ?

— Ben non, tsé, attends la semaine de re-lâche. BEN OUI, tout de suite ! Pourquoi tu penses qu'on a fait la recherche ? C'est une mission ou c'est pas une mission ?

— T'as raison.

Émily s'appuie au dossier de sa chaise. Comment commencer ? « Cher Alain ? » Non. « Salut ? » Non, trop… ordinaire. « Hé, Alain ! » Hum, un peu trop familier. « Coucou ? »

— Coucou ! crie Marie-Pier, qui vient d'entrer dans le solarium.

— Salut, répond Emma. Je m'appelle Emma, je suis à l'école d'Émily.

— Ah ouin ? fait Marie-Pier en plissant le nez.

— Salut, Marie-Pier, dit Émily. On était en train de chercher… heu… du monde sur Facebook.

— Ah oui, qui ?

— Heu… Piscine Plus. On le cherchait.

Emma regarde Émily en fronçant les sourcils. Marie-Pier se laisse tomber sur le lit, au milieu de la pièce.

— Ah ! tu l'avais pas déjà fait ? Moi, je l'ai facebooké le jour où tu m'as dit son vrai nom. Je suis devenue son amie Facebook.

— TU ES DEVENUE QUOI???

— Ben, son amie Facebook.

— Tu lui as ÉCRIT?

— Oui. Je lui ai dit que je te connaissais, que t'allais à la même école que lui. Pis il m'a ajoutée dans ses amis.

— TU AS FAIT QUOI???

— Puuuuuunaise, Émil, relaxe. Il m'a trouvée *cute*, il m'a ajoutée dans ses amis. Ça n'a rien à voir avec toi, tu peux te calmer le toupet.

— MAIS IL NE SAIT MÊME PAS QUI JE SUIS! Je lui ai même pas parlé, tu te rappelles?

— Mais tu m'as dit qu'il t'avait vue?!

— Ben oui, mais…

— Ben, c'est ça que je lui ai dit. Il s'en rappelait.

— IL S'EN RAPPELAIT?

— Oui. Je t'ai décrite.

— Heu… comment tu as fait ça?

— Ben, une fille plus grande que les autres, blonde, qui devait avoir le nez rouge.

— QUOI??!!!

— Ben, je voulais qu'il me réponde! Pis ça a marché!

Émily a envie d'égorger son amie. De lui arracher un à un ses trillions de cheveux frisés.

— BEN, DE QUOI JE VAIS AVOIR L'AIR, MOI, MAINTENANT? hurle Émily.

— J'ai pas dit que t'étais épaisse, j'ai dit que t'étais grande, c'est tout.

— PIS PLAQUÉE !

— Pis plaquée. Mais c'est pas grave, il m'a répondu qu'il avait pas remarqué parce qu'il t'avait vue très vite.

— Mais maintenant il sait !!! Oh, mon Dieu, Marie-Pier, c'est vraiment… BOA d'avoir fait ça.

— Boa ?

— C'est une fille à l'école qu'on appelle comme ça, glisse Emma.

— Sérieux, Émil, inquiète-toi pas. Jérémie, il est ben correct.

— Ah, parce que c'est devenu « Jérémie » ? Pourquoi pas « Mimi », tant qu'à y être, ajoute Émily. Vous vous êtes parlé souvent ?

— Heu… non. Juste une fois… Mais sa réponse était vraiment correcte.

Émily pousse un grand soupir. Elle n'osera plus jamais marcher dans les corridors de l'école. Que va penser Piscine Plus s'il la croise ? Sa vie est finie. C'est la PIRE chose qui lui soit arrivée.

— Est-ce que vous avez envie de jouer à la Xbox ?

— Non, répond Émily.

— Je vais aller aux toilettes, murmure Emma. C'est où ?

— Je vais te montrer.

Lorsque Émily revient seule dans la chambre, Marie-Pier saute presque sur elle.

— As-tu vu comment elle est habillée?

— Qui, Emma?

— Ouiiiiiiiiiiiiii! On dirait des vêtements qui vont pas ensemble.

— J'ai pas remarqué.

— C'est vraiment toi, ça, de pas avoir remarqué. On dirait qu'elle porte AUCUNE marque. Même pas du Joshua Perets! Elle va vraiment à ton école? C'est un nouveau look alors… C'est vraiment LAID.

— Je sais pas… Marie, c'est vraiment pas cool, ce que tu m'as fait.

— Je sais, marmonne Marie-Pier. Mais… c'est PISCINE PLUS. Tu le sais, j'ai un *kick* dessus. J'avais la chance de lui PARLER. Pis je suis sûre qu'il se rappellera même pas de ce que j'ai dit sur toi. Je suis SÛRE.

Émily espère qu'elle a raison. Sinon elle va mourir de honte. «Est-ce que ça se peut, mourir de honte? se demande-t-elle. Avoir tellement de sang dans le nez que le nez surchauffe et que la chaleur se rend au cerveau? Il y a pas une grosse veine importante dans le nez? Et s'il explosait?»

Au retour d'Emma, les filles décident de jouer à *Michael Jackson Kinect*. Mais le cœur n'y est pas. Émily en veut à Marie-Pier qui, elle, ignore volontairement Emma. L'après-midi semble interminable. Finalement, Emma part plus tôt que prévu. Marie-Pier quitte également la maison, et Émily se retrouve toute seule dans le solarium.

À : Alain Faubert
Objet : C'est Émily

Message :
Allo, Alain ! Je me demandais, est-ce que c'est toi qui es le frère de Benoît ? Parce que, si oui, tu es mon oncle. Je suis sa fille Émily, et tu jouais du piano avec moi quand j'étais petite.

Je voulais savoir si ça t'intéresserait de devenir mon ami Facebook ? On pourrait parler de musique.

En tout cas. Même si tu ne veux pas c'est pas grave.

Salut !

8.

Émily est figée dans la cafétéria, son plateau dans les mains. Emma a beau lui faire des grands signes depuis la table du fond, elle ne voit que Jérémie Granger. Assis à la table de droite. Avec ses amis.

Elle dépose en tremblant son plateau sur le comptoir et fait un grand détour pour enfin parvenir à la table où Emma s'est assise.

— Qu'est-ce que tu fais ? demande cette dernière, les yeux écarquillés.

— C'est Jérémie Granger là-bas.

— Ben oui. Tu avais pas besoin de laisser ton dîner là-bas pour autant !

— J'ai pus faim. J'avais trop peur de le renverser.

— Ben là ! Je vais aller le chercher.

Émily reste seule à la table, à fixer un point à côté de Jérémie Granger. Elle est tellement occupée à ne pas le regarder qu'elle ne le voit pas s'approcher de sa table.

— Salut, lance-t-il.

— Ha? HA? HAAA?!! Heu… salut!

— Vas-tu éternuer? répond-il en riant.

— Quoi?

— Ben, tu as fait « ha ha haaa », comme si tu allais éternuer.

— Oh, non. Je fais juste… heu… des vocalises. Oui, c'est ça. Je fais des vocalises avant de manger.

« Tais-toi, Émily. »

— NECK, dit-il.

— Quoi, NIK?

— Ben, NECK! C'était une blague.

— Quoi, NIK? Pourquoi tu dis « NIK »?

— HAHAHA! J'ai pas dit « NIK ». J'ai dit « NECK ». Tu sais pas ce que ça veut dire, NECK?

— Ben… non?

— Ça veut dire « tu me niaises ».

— Ah.

— Tu as dit que tu faisais des vocalises. Je t'ai répondu : « Tu me niaises. »

« Ah oui, ok, haha haha. »

— Ah bon, lâche simplement Émily.

— Heu… je voulais juste te dire qu'une de tes amies m'écrit vraiment souvent sur Facebook.

— Oui, heu… excuse. Je sais pas pourquoi elle fait ça. Elle est un peu… heu… Je m'excuse. Je pensais pas qu'elle t'écrirait.

— Oh, c'est pas grave! répond Jérémie en souriant. Je suis habitué.

— Ah. Bon.

— Je voulais juste te dire que tu pouvais m'écrire, toi aussi, si tu veux.

— Ah. Oui?

— Ben oui. Je réponds toujours à mes fans.

— Ok.

Emma dépose le plateau de son amie sur la table.

— Salut! Je m'appelle Emma.

— Salut, lance Jérémie en lui faisant un clin d'œil. Bon ben, salut… NIK!

— Hahahahahaha!… Elle est bonne, dit Émily, complètement figée.

Elle tourne ensuite la tête vers Emma sans se départir de son sourire. On dirait qu'elle joue dans une publicité de dentifrice.

— J'ai mal aux joues, tellement je suis crispée.

— Eh bien, décrispe.

— IL M'A PARLÉ!

— Oui, il t'a dit plein de choses intelligentes, j'ai entendu ça.

— Il m'a même donné un surnom: NIK. Parce que j'avais pas compris son «NECK». Tu le savais, toi, ce que ça voulait dire, «NECK»?

— Oui, je le savais.

— Oh, je suis sûre que j'ai eu l'air ÉPAISSE.

— Pas autant que lui, ça, c'est sûr.

— POURQUOI TU DIS ÇA ?

— « Je réponds toujours à mes fans ! » Franchement. C'est pas une *rock star*. Il chante dans une PUB de PISCINE.

— Oui, mais c'est une pub qui passe SOUVENT.

— Oui oui.

— Jérémie Granger m'a donné un SUR-NOM !!! C'est tellement cooooool, s'exalte Émily.

— As-tu eu une réponse de ton oncle ?

— Hein ? Non. Pas encore. Tu te rends compte ? Je vais pouvoir écrire à Jérémie et signer NIK.

— C'est vraiment NIKKIMENT tripant.

— Oh, arrête.

— Tu sais qu'il a un *band* ?

— Quoi ?

— Oui, il a formé un groupe de musique, ce gars-là, explique Emma. Il chante et il joue de la guitare pour vrai. Pas juste dans les pubs. Reste à savoir s'il joue bien.

— Comment tu sais ça ?

— Je l'ai entendu en parler l'autre jour dans la grande salle de jeux.

— Oh wow ! J'aimerais ça, entendre leur groupe. À quoi ça ressemble, tu penses ?

— « Piscine Plus, c'est extra, on y joue, on y va… lalala. »

— T'es niaiseuse, dit Émily en lui donnant un coup de coude.

— Je pense qu'ils répètent dans le local d'impro. Tu devrais aller voir par là après les cours.

— BONNE IDÉE ! répond Émily qui prend son plateau (elle n'a pratiquement pas touché à son repas) et se dirige vers les comptoirs de rangement, Emma sur ses talons.

— Tiens, un plateau qui marche tout seul, lance Maud en croisant Emma. Ah non, il y a une fille en dessous.

Elle s'éloigne en ricanant, suivie de quelques filles qui rient tout aussi fort en répétant le mot « puceron ». Émily la regarde s'éloigner sans rien dire, affligée.

— C'est pas grave, rétorque Emma. J'aime mieux être un puceron qu'un boa. Moi, au moins, je ne finirai pas en bottes ou en sacoche.

De : Émily Faubert (emilfaubert@hotmail.com)

À : Marie-Pier Thibault (mpt12@hotmail.com)

Hé ! J'ai parlé à Jérémie Granger aujourd'hui à la cafétéria. Et devine quoi ? Il m'a donné un SURNOM ! ! ! ! C'est NIK. C'est cute, hein ?

Il m'a aussi parlé de toi. Il m'a invitée à devenir
son amie Facebook moi aussi.

Savais-tu qu'il avait un groupe de musique ?
Je vais essayer d'en savoir plus. Peut-être qu'on
pourrait aller voir un de leurs spectacles ?

Lov
Émily
xxxxxxxxxxxxxxxxxxxxxxxxxxxxxx

9.

Émily, tremblante, se connecte à Facebook. Et si son oncle n'avait pas répondu? Pire, s'il n'avait pas envie d'avoir de ses nouvelles?

«Oh!

«IL Y A UN MESSAGE!

«UN MESSAGE D'ALAIN FAUBERT!

«Oh… mon… Dieu.»

Émily se lève et, sur le iPod, sélectionne la liste d'Usher pour se donner du courage. Elle attend que la batterie résonne dans le solarium pour revenir devant l'écran de son ordinateur.

Elle se relève et va chercher une gomme Mélange de saveurs.

Elle se rassoit.

Elle mâche sa gomme.

«Mium miam mium.»

Bon.

— Salut, ma loulou! lance sa mère en en-trebâillant la porte du solarium. Je suis rentrée plus tôt aujourd'hui.

— Aaaaaaaaaah!

Émily avale sa gomme de surprise («Gloup!») et appuie prestement sur «*escape*» avant de se retourner vers sa mère. Son élan est trop fort et la chaise pivotante revient en force vers le bureau. Émily se cogne le genou sur le coin de la patte, renversant son verre de jus d'orange sur le tapis.

— OUPS! Je t'ai fait peur, excuse-moi!

— Non non, c'est bon, répond Émily en se mordant la lèvre de douleur et en ramassant son verre de jus.

Pauvre Monique qui aura à nettoyer le tapis.

— Tout va bien, ajoute-t-elle en se rasseyant.

— Est-ce que tu t'es fait mal?

— Oui oui. Heu… je veux dire: non non. Je me suis pas fait mal. Oui, tout va bien.

Annick plisse les yeux en souriant.

— Ok, je te laisse tranquille. Je voulais juste te dire que je soupais à la maison ce soir. On peut souper ensemble si ça te tente.

— Ok, cool.

— Ok.

Annick ferme la porte du solarium. «Il fau-drait vraiment que cette porte soit munie d'une serrure, se dit Émily. Un crochet peut-être?

Comme dans les toilettes publiques? Un système de poulies? Une trappe automatique avec un filet en dessous? Pas de filet en dessous?»

De : Alain Faubert
Objet : RE : C'est Émily

Bon, il aurait pu écrire un nouveau titre de message. C'est un premier mauvais signe. S'il avait été vraiment content d'avoir de ses nouvelles, il aurait trouvé quelque chose à écrire dans le titre, comme «C'est Alain», ou «Wow», ou encore «Salut !!!» avec des points d'exclamation de joie.

Message :

Émily, je sé pas té ki. Mon frère s'appel Steve et j'ai just 1 frere. On peu tchaté pareil si tu veus. Té cute.

«Heu… POUACH? Si tu penses que j'ai envie de parler à quelqu'un de trente ans qui fait encore des fautes d'orthographe!»

Bon, ce n'est pas le bon Alain.

Émily est triste. Elle aimait le chien sur la photo. Elle se voyait déjà en train de le promener avec son oncle en parlant de la métamorphose de Miley Cyrus. Ou en parlant des groupes de son temps à lui, comme les Colocs, qu'elle aime bien, même si c'est un peu… vieux.

Elle passe en revue les cinq autres Alain Faubert qui ont mis une photo. Mais il y a encore une dizaine d'Alain Faubert sans photo, et autant avec des photos d'enfants. Il semble presque impossible de le trouver, à moins de tous les contacter.

Émily a alors une idée de génie. Elle ouvre la fenêtre de recherche Google et tape « Alain Faubert » et « objets usagés ».

BINGO !

Elle trouve immédiatement un lien sur un site communautaire. C'est un article tiré d'un journal de quartier, qui date de plusieurs années. Bon, il n'y a pas de photos, mais…

« IL Y A UNE ADRESSE. UNE VRAIE ADRESSE ! Avec un numéro et un nom de rue ! Tout ce qu'il faut. Hourra ! ! ! »

La boutique est située dans une rue très passante du quartier voisin. Elle s'appelle Aux Bons Débarras.

« Cool. COOL. HYPER-COOL ! »

Émily attrape son sac Prada à toute vitesse, traverse la maison et entre dans le boudoir où elle sait qu'elle trouvera sa mère.

— Maman ! Est-ce que je peux sortir sans monsieur Simard ? J'aimerais aller voir quelque chose.

— Tu as de l'argent sur toi ?

— Oui.

Bien sûr qu'elle a de l'argent sur elle. Sa mère lui donne 100 $ d'argent de poche par semaine en disant qu'elle n'a pas besoin d'avoir un petit boulot et qu'elle peut donc se concentrer sur ses études. Avec ça, elle peut faire tout ce qu'elle veut très facilement, et il lui en reste toujours un peu.

— Ok, appelle un taxi. Mais appelle-le d'ici. Ne prends pas de taxi directement sur la rue, pour le retour non plus.

— Oui oui. Je vais être revenue pour souper. Promis-juré.

Émily se lance dans le jardin par la porte de côté, mais contourne la maison et descend les marches de devant quatre à quatre. Elle prendra l'autobus. Comme Emma. Comme Marie-Pier.

Elle a bien étudié le trajet sur Internet. C'est facile, elle n'a que deux autobus à prendre. Elle arrive en bas de la côte essoufflée et ébouriffée. Mais elle a la cage thoracique grande comme un terrain de football. On dirait qu'elle pourrait aspirer la rue, le quartier, la ville au complet dans ses poumons.

Elle est libre, elle est au secondaire. Et elle s'en va voir Câlin.

10.

La boutique est un peu décevante. Située sur un coin de rue, elle affiche en vitrine des vieux meubles qui semblent tout droit sortis d'un dépotoir. Il y a un meuble avec tout plein de minuscules tiroirs. Un drôle de four avec une trappe. Et puis des ventilateurs ronds, tout en métal.

Émily prend une grande respiration. « Tu vas y arriver. Tu vas y arriver. Tu vas y arriver. »

Un homme avec un grand chapeau de cow-boy (« Le LIEN, s'il te plaît ? ») sort de la boutique et s'apprête à traverser la rue, avant de revenir sur ses pas.

« Tu vas y arriver. Tu vas y arriver. »

— Tu cherches quelque chose ? demande le cow-boy.

— Oh, oui, non, oui. Je venais pour… heu…
l'armoire à bijoux.

— L'armoire à bijoux?

— Ben oui, celle-là, là. Avec les mini-tiroirs.
Je suppose que c'est pas pour des vêtements,
parce que les tiroirs sont trop petits…

Le cow-boy regarde dans la vitrine et se
met à rire.

— Tu veux parler du classeur de bibliothèque?

— C'est pour les livres??

— Non, c'est un meuble pour les fiches de
référence dans les bibliothèques. Avant que les
références soient sur ordinateur. Mais tu as
raison, c'est une maudite bonne idée d'en
faire un meuble à bijoux. J'y avais pas pensé.

Émily sourit. L'homme la regarde étran-
gement.

— Tu peux entrer dans la boutique, je
m'en vais juste en face deux secondes chercher
un café. Je reviens tout de suite.

— Vous travaillez ici?

— Oui…, répond le cow-boy en plissant
les yeux.

« Oh… mon… Dieu! »

C'est LUI. C'est Câlin. C'est Alain. C'est le
bon oncle. C'est LUI. Émily a envie de pleurer.
De s'enfuir. De courir jusque chez elle comme
le… le… truc, là, dans le documentaire de

Disney. L'antilope. Ou était-ce un puma? Un lémur? Quel était le nom de cet idiot d'animal qui courait?

Mais elle reste là, paralysée.

Alain aussi. Il ne bouge plus et la regarde attentivement. Il est le premier à baisser les yeux avant de la regarder de nouveau. Il est tout rouge. Émily n'a jamais vu un homme rougir. Elle pensait que ça n'existait pas. Il rougit autour des yeux. Comme un raton laveur, mais avec le tour des yeux rouge. Et puis, il plaque du nez. Du nez!

Alain finit par tousser un peu dans son poing. Puis il regarde la rue et adresse enfin un grand sourire, un immense sourire à Émily.

— Tu sais, c'est vraiment très… «faubertien» de plaquer du nez. Comme tu peux le voir.

— Oui, parvient à dire Émily.

Elle ne peut plus retenir ses larmes plus longtemps.

«POCHE! NON NON NON JE VEUX PAS PLEURER. NON! JE PENSE QUE J'AI PAS DE MOUCHOIR», pense-t-elle, catastrophée.

— Je m'excuse, lâche Émily en fouillant dans ses poches pour trouver un mouchoir, je venais vraiment pas pour pleurer comme ça… («MOUCHOIR!!!») C'est vraiment nul…

(«UN MOUCHOIR!!!») Je veux dire: je venais pas pour… («JE VEUX UN MOUCHOIR!!!!») Il faut vraiment que je me mouche! conclut-elle.

«Tu parles d'une première phrase complète intelligente», se dit-elle en sentant une boule de MORVE se former dans sa narine droite.

— Je pense qu'on a tous les deux besoin d'un mouchoir, répond Alain en s'essuyant le nez sur son bras.

Et Émily éclate de rire entre ses larmes, avant de… eh bien, avant de s'essuyer le nez sur son bras, elle aussi.

Il s'agit d'une situation d'urgence, après tout.

11.

— Comme ça, c'est ici que tu travailles ? demande Émily.

— Eh oui, c'est ma boutique. C'est mon paradis à moi, répond Cow-boy-Alain-Câlin.

L'oncle et la nièce tiennent chacun un cornet de crème glacée double chocolat avec une boule à la pistache, et déambulent dans les allées. Un détour à la crèmerie du coin a été nécessaire pour faire passer « l'autre » boule. Celle de joie-peine-surprise qu'ils ont tous les deux sentie dans leur gorge en se reconnaissant.

Mais, maintenant, ça va beaucoup mieux.

— Et tu les VENDS vraiment, tes vieilleries ?

— Eh ben, t'es pas gênée ! répond vivement Alain avant d'éclater de rire. C'est pas juste des vieilleries ! La plupart de ces objets sont des souvenirs de voyage que j'ai rapportés moi-même! Ce sont des objets précieux, des trésors, même!... Non, je vends pas souvent, finit-il par avouer.

— Ben, ça m'étonne pas! C'est un vrai fouillis ici. On voit rien. Il y a tellement de choses qu'on finit par ne plus les voir!

— Comme quand les arbres cachent la forêt?

— Hahahahahahaha! C'est drôle, ça! Ben oui, c'est un peu ça.

— Tu n'es pas la première à me le dire. Mais je suis paresseux. Alors, je ne classe rien. Tu imagines le temps que ça me prendrait?

— Ce serait long, c'est sûr.

Émily ouvre une boîte contenant des bijoux. Ils ressemblent à ceux de sa grand-mère Salazar, la mère de sa mère, mais il y a toutes sortes de rubans emmêlés au milieu des chaî-nettes.

— Tu vois, il y a des belles choses là-dedans! Mais la boîte est HORRIBLE, et tout est mêlé. Si tu mettais les bijoux... je sais pas, moi, sur un coussin rouge par exemple, on les verrait mieux.

— Dis donc, es-tu en train de me dire que je l'ai pas, l'affaire?

— Un peu, répond Émily en souriant.

Elle prend dans ses mains une jolie broche ronde en argent avec un oiseau gravé dessus.

— Tiens, ça vient de Varsovie, ça. C'était la broche d'une vieille dame qui était tellement perdue qu'elle ne faisait que rire, et rire et rire. On a décidé de s'attabler dans un café pour prendre un petit verre. Elle buvait beaucoup pour une vieille dame! Et elle m'a donné cette broche quand je suis parti. Et mon chapeau aussi, c'est un cadeau de voyage! poursuit-il en le réajustant sur sa tête.

— Laisse-moi deviner… D'un cow-boy des États-Unis?

— NON! Haha! Il appartenait à un homme qui faisait des tatouages en plein soleil dans le désert… en Espagne! Tu vois? Je t'ai eue!!! s'écrie-t-il, fier de lui. C'est d'ailleurs lui qui m'a dessiné ça, ajoute-t-il en relevant sa manche pour dévoiler un demi-trèfle, sur le haut de son épaule.

— Un demi-trèfle?

— Ben oui. Ça faisait mal en tord-vice.

— Hahahahahahaha!!!!

— Ouin.

— Tu as beaucoup voyagé?

— Oh oui, dit Alain en replaçant sa manche. Je voulais découvrir le monde. Je l'ai fait. Et je regrette pas, comme tu vois. Ça m'a permis d'ouvrir une boutique avec toutes mes «vieilleries», comme tu dis.

— Mais pourquoi tu tiens une boutique ? Tu ne fais plus de musique ?

— Oh oui, j'en fais encore. Seulement, ce n'est pas mon métier. Ce ne l'est PLUS.

— Pourquoi ?

— Eh ben, disons que c'était pas pour moi, répond Alain en croquant dans le biscuit du cornet. Ch'étais pas fait pour che chenre de choses-là. Tu chais, moi, che chuis trop…

— Attends, je comprends rien, fait Émily en riant.

Alain engloutit le reste du cornet en souriant et en mimant un gros « MIAM ! ». Émily n'a même pas encore fini la crème glacée du dessus de son propre cornet.

— Je suis allé à New York étudier la musique, c'est vrai. J'ai travaillé là-bas quelques années, en orchestration. Mais il faut toujours répéter à quel point on est le meilleur pour être écouté. Et comme je t'ai dit, je suis paresseux ! Alors, je fais encore de la musique, mais pour le plaisir.

— Et personne ne le sait ?

— Je vends quelques compositions pour le Web. Pour des sites de jeux en ligne, des cartes de souhaits virtuelles, des choses comme ça. J'adore ça, c'est beaucoup plus drôle. J'ai même écrit la musique d'un jeu vidéo qui met en scène des furets !

— Des furets??? Hahahahaha! Des furets, répète Émily, hilare.

— Oui! J'ai tellement eu de plaisir à écrire ça! Et puis, j'en ai aussi fait pour un jeu de grenouilles et échelles…

— Trop drôle!

Émily est ravie. Son oncle est décidément aussi amusant qu'avant.

— Et toi? lance-t-il.

— Ayoye! lâche Émily qui vient de se piquer sur la broche-oiseau. Moi? répond-elle en suçant son doigt.

— Bien oui, toi. Tu fais de la musique, non? lui demande-t-il avec un drôle de regard.

— Heu… pas vraiment. Je chante un peu. Des fois.

— C'est tout? Je te crois pas. Ça se peut pas.

— Non?

— Non. Tu étais exceptionnelle pour ton âge. Alors, si tu me dis que tu ne fais plus de musique, je vais devoir te sortir de ma boutique par la force. Et tu seras obligée de me remettre la broche avant de partir.

— Ben… la vérité, c'est que je chante, oui, tout le temps. Mais pas devant les autres. Je suis un peu… gênée. Je chante pas « ordinaire » comme les autres, tsé.

— J'ESPÈRE BIEN que tu ne chantes pas comme les autres. Tu n'as JAMAIS chanté « ordinaire », Émily Faubert.

— Oui, mais je sais pas trop quoi faire. J'ai des amies qui me disent de pas chanter, que c'est mélangeant. J'en ai d'autres…

— Oui?

— Ben, j'en ai une qui trouve ça beau. Elle dit que je fais des mathématiques en chantant, ou je sais pas quoi. Que c'est… harmonieuuuuux, dit-elle en exagérant le son « ieu ».

— ET ELLE A RAISON ! tonne Alain comme s'il était soudainement fâché. Mais c'est qui, ces amies-là qui te disent de pas chanter ? !

La clochette de la porte tinte et une dame âgée entre dans la boutique. Elle serre son sac contre elle en fixant Alain, les yeux écarquillés parce qu'il a crié. Émily a le fou rire.

— Je reviens, lui dit-il en faisant une drôle de grimace, avant de se diriger vers la cliente.

Émily en profite pour digérer tout ce qu'Alain vient de dire. Elle n'a jamais chanté « ordinaire » ? Bon, première nouvelle. À l'époque, elle chantait, c'est tout. Tout le monde la trouvait charmante, sans plus. Et puis, la famille de musiciens a disparu de sa vie, elle a vieilli et a arrêté de chanter devant les autres. Pourquoi ? Seulement à cause de Marie-Pier ?

— La vieille chipie, dit Alain en revenant vers Émily. Elle vient presque tous les jours et n'achète jamais rien. Et elle me dit que ma boutique est à l'envers et patati et patata et proutiprouti et proutiprouta.

— Eh ben, je ne suis donc pas toute seule à le dire.

— Bon, bon, bon…

— C'est vrai, tsé.

— Changement de sujet, dit Alain. Est-ce que tu prends des cours de chant ?

— Non. C'est drôle, Emma m'a demandé la même chose.

— C'est ton amie gentille, ça, Emma ?

— Elles sont TOUTES gentilles, mes amies. C'est pour ça que BOA n'est pas mon amie.

— Boa ?

— Ouais. Je me comprends.

— Ah. Eh ben, Emma a raison. Tu devrais prendre des cours de chant.

— Ok, mais où ?

— J'ai eu une prof à l'université à New York qui est devenue mon amie. C'est quelqu'un d'un peu spécial, mais c'est un EXCELLENT professeur de chant. Elle habite ici maintenant et je suis pas mal sûr qu'elle te prendrait comme élève.

— AH OUI ??? COOOOOOOL !!!

— Laisse-moi l'appeler, on va voir.

— Je vais te donner mon adresse de courriel. Tu vas pouvoir me dire si ça marche.

« Et on va pouvoir s'écrire », pense Émily.

— Je suis vraiment content que tu sois venue me voir, Émily, dit Alain. C'était… une bonne idée. Une EXCELLENTE idée.

— Comme pour le meuble à bijoux ?

— Hein ? Oui ! Comme pour le meuble à bijoux.

— Tu devrais mettre les bijoux de la boîte dans les tiroirs, dans la vitrine, dit Émily en redonnant la broche-oiseau à Alain. Ce serait plus beau. Et puis, tu pourrais accrocher les vieux rubans sur les ventilateurs et les allumer. On verrait moins qu'ils sont laids parce qu'on regarderait les rubans.

— Eh bien, tu viens de gagner une broche, dit Alain en souriant. C'est ton salaire.

— Mon salaire ?

— Oui. Pour ton nouveau métier. Décoratrice.

« Décoratrice, pense Émily en souriant. C'est pas mal. »

Émily Faubert, décoratrice.

Ça lui plaît bien.

— Tu vas pleurer ou jouer, Anne-Myriam? Ce...
A : Tu vas pleurer ou jouer, Anne-Myriam? Ce...
A : Ah, ah, aaaaah!

12.

De : Alain Faubert (alain.faubert@yahoo.ca)
À : Émily Faubert (emilfaubert@hotmail.com)
Objet : Salut!!!

Salut, Émily,
J'ai parlé à mon amie et elle est effectivement
d'accord pour te donner des leçons en privé.
Il faudra toutefois que tu lui donnes un petit
quelque chose en retour mais je suis certain
qu'elle ne te demandera pas beaucoup d'argent.
Elle adore débusquer des talents, alors elle sera
servie avec toi. ☺

Son nom est Ann Gentilly. Elle te recevra chez
elle pour un premier cours le vendredi 31 octobre,
à 16 h 30, au 3121, avenue du Docteur-Penfield.

Ne te laisse pas impressionner. Elle a l'air d'un pitbull mais, au fond, c'est un ange. Bon cours. Et donne-moi des nouvelles !

Alain

P.-S. : J'ai fait ce que tu m'as dit dans la vitrine et j'ai vendu le classeur à bijoux !!! Héhé.

13.

Le poum poum poum de la batterie résonne à travers la porte du local d'improvisation. Émily a les jambes comme des quenouilles sur le bord de la route. On dirait qu'elles vont plier dans le mauvais sens. Une sensation horrible. Elle s'accroche à Emma en rechignant.

— Je veux pas y alleeeeeeeeeeeer. Je vais avoir l'air folle. Emma, pourquoi je dois y alleeeeeeeeeeeeeeeer?

— Ben, parce que tu VEUX y aller, répond Emma. Ça fait des semaines que tu parles juste de ça. Que tu me CASSES les oreilles avec ça. C'est plus des oreilles que j'ai, c'est des choux-fleurs enflés! Jérémiiiiiie par-ci, son grouuuuupe par-là, J'EN PEUX PLUS. Alors, ou tu vas voir par toi-même, ou tu manges toute seule demain midi et, ça, c'est vraiment la honte, tu le sais.

Émily regarde Emma d'un air suppliant. Mais c'est vrai. Elle a vraiment mal au ventre. Elle ne veut plus y aller. Que dira-t-elle? «Salut, les gars, je passais dans le coin et je suis venue vous écouter»? Ou: «Eille, il y a donc ben du bruit ici!» Non, non, vraiment pas bon! Ou alors: «Cool, de la musique!» Non, ça a l'air débilos. Ou encore: «Qu'est-ce que vous faites?»

«Ben voyons, c'est évident, ce qu'ils font! Ils jouent de la musique. ÉPAISSE! Top *reject*!» songe Émily.

— Non, je vais laisser faire, dit-elle à voix haute.

— Ok. Alors, trouve-toi une case pour aller manger dedans demain midi.

— Noooooon. Ok. Je vais y aller. Je vais y aller. J'y vais. Ok. J'y vais.

Émily ferme les yeux et tend la main vers la poignée. Mais un petit éclair bleu la fait reculer.

— Ayoye! fait-elle en retirant sa main.

— Hahahahaha! Tu as pris un choc!

— Pourquoi ça te faire rire?

— Ben, ça fait une demi-heure que tu tournes en rond en traînant les pieds devant la porte. Le tapis du couloir doit être synthétique. Mouhahahahaha! C'est drôle!

— HA HA HA! lâche Émily, fâchée.

Emma est morte de rire. Si elle n'était pas sa meilleure-amie-du-pensionnat, Émily l'égorgerait.

— Ben, arrête de rire, c'est pas drôle... Peut-être que c'est un signe !!!!!

— Un siiiiiigne ? répète Emma en tentant d'arrêter de rire.

— Ben oui, un signe de la vie. Un signe qui dit qu'il ne faut PAS que j'entre dans ce local.

— Pffff. Pfff. Pffffffffff.

— Bon, ça va, Emma, je le vois, que t'es crampée.

Emma est toute rouge à force de se retenir pour ne pas blesser son amie.

— Un... pfff... signe de la... pfffff pfff... vie ?

— Ben oui. Des fois, il y a des SIGNES. Tu vois ? Quelqu'un décide de ne pas prendre l'avion parce qu'il fait une indigestion. Et l'avion qu'il devait prendre s'écrase. Ce genre de chose.

— Hum, dit Emma en mettant ses (mini) mains sur ses (mini) côtes pour se calmer.

Et ça aurait voulu dire quoi, cette indigestion ? « Tu devais mourir mais tu ne mourras pas. En tout cas, pas AUJOURD'HUI » ?

— Genre !

— Ouin. Mais là, il y a pas d'avion à prendre et tu ne risques pas de mourir pantoute.

— ET MOURIR DE HONTE ?! demande Émily, au bord des larmes.

— Oh, franchement, Émily.

Emma pousse Émily, se dirige vers la porte du local et cogne.

ELLE COGNE !

« Oh… mon… Dieu ! »

Personne ne répond et la batterie continue de résonner.

— Tu vois ? Ça répond pas, dit précipitamment Émily. Ok, on peut s'en aller.

Mais Emma frappe avec son pied. SON PIED ! Elle a beau avoir de tout petits pieds, Émily a l'impression de n'avoir jamais entendu un BOUM BOUM aussi fort. Elle se dit qu'elle entendra ce BOUM BOUM dans ses oreilles jusqu'à sa mort.

Ça y est, la musique s'arrête.

Quelqu'un crie : « QUOI ? »

Et la porte s'ouvre.

Et ce n'est pas Jérémie.

Et c'est…

Maud.

— Qu'est-ce que tu veux ? demande-t-elle en baissant exagérément la tête pour regarder Emma.

— Hé, Maud ! Comment ça va ? lance Emma comme si Maud était sa grande amie.

Elle fait de grands signes à Émily. Mais Jérémie s'approche aussi de la porte et l'aperçoit avant qu'elle ait eu le temps de bouger.

— Hé, NIK! Entre!

Emma fait un grand sourire à Maud en la contournant. Émily suit son amie dans le local d'improvisation. C'est un grand local vide, et Émily comprend pourquoi le groupe répète ici. L'acoustique doit être bonne. Comme dans une salle de bain. Ça résonne toujours bien, quand elle chante dans la salle de bain.

— Tu es venue pour nous écouter? dit Jérémie.

Émily remarque qu'il porte une guitare en bandoulière.

— Heu… c'est ça, oui.

— Assoyez-vous, les filles! fait-il en grattant un accord. On a rien contre ça, nous, le public féminin.

Maud rit, mais on voit bien qu'elle est fâchée. Elle s'assoit néanmoins avec Émily et Emma, mais sans les regarder.

Le groupe recommence à jouer. Il est composé de Jérémie et de trois autres garçons qu'Émily ne connaît pas. Elle se rappelle le grand roux à lunettes qui est assis derrière la batterie parce qu'elle l'a vu une fois. Mais c'est tout. Celui qui tient la guitare basse est plutôt grand et a les cheveux coiffés vers l'avant à la

Justin Bieber, mais en un peu plus beau. Parce que, franchement, Émily trouve que la coiffure de Justin Bieber, c'est… laid.

Il y a aussi un Asiatique aux cheveux un peu longs qui joue du synthétiseur, mais il est penché si bas vers le clavier qu'Émily a de la peine à voir son visage.

Et il y a Jérémie. JÉRÉMIE. Qui joue de la guitare.

Jérémie qui est… disons… heu… beau?

Emma suit le rythme en hochant la tête. Elle doit l'avouer, ces quatre garçons sont bons. Elle reconnaît la chanson *The Time* des Black Eyed Peas, et le groupe de Jérémie lui apparaît bien meilleur que ce à quoi elle s'attendait. Et puis, Jérémie a une jolie voix. Elle serait sûrement plus jolie avec un micro. Il n'y a que la guitare basse qui est branchée à un ampli. Mais ce qu'elle entend lui plaît. Elle se tourne vers Émily en souriant.

— Eille, ils sont bons!

— Oui, dit Émily sans quitter Jérémie du regard.

Celui-ci regarde un point imaginaire au-dessus d'elles et envoie des petits signes à un public imaginaire en chantant. « C'est un peu… ridicule, songe Émily. Mais peut-être que ça fait partie des choses qu'il faut répéter… »

— La guitare basse fausse un peu, tu trouves pas ? ajoute-t-elle à l'oreille d'Emma.

Son amie hoche la tête en fronçant les sourcils.

— Non…

Émily est pourtant certaine d'entendre quelque chose qui cloche. Ce qui ne l'empêche pas d'être subjuguée par Piscine Plus. Penché sur sa guitare, il est vraiment… Comment dire ? Elle n'a jamais tripé sur lui dans la pub, comme Marie-Pier. En fait, elle le trouvait mignon, sans plus. Il faut dire qu'elle ne trouvait pas qu'il avait l'air si intelligent, debout sur son flotteur avec sa guitare en papier mâché.

Mais depuis qu'elle le connaît personnellement, depuis ce premier jour d'école, elle doit avouer qu'elle ressent un petit quelque chose. Oh, pas un tournimini comme quand elle pense à son père. Mais… quelque chose.

La pièce est terminée, et Maud et Emma applaudissent en souriant. Émily est trop figée pour applaudir. La vérité, c'est qu'elle a eu envie de chanter. D'ajouter sa voix à la musique. Mais elle s'est retenue. « Tu parles. J'aurais eu l'air complètement DÉBILOS de me mettre à chanter avec Jérémie ! »

— Tu n'as pas aimé ça, NIK ? demande Jérémie en la regardant, l'air un peu insulté.

— Hein? Heu… ben oui! Oui! OUI! Je…
C'est super. Vraiment. Vous êtes vraiment
bons. Heu… c'est…

— C'est vraiment bien joué, la coupe
Maud. Les instruments sont bien équilibrés.
Les guitares se complètent bien. Et c'est une
super bonne idée d'avoir accéléré le tempo.
C'est peut-être juste un peu trop vite?

— Je te l'avais dit, qu'elle connaissait son
affaire, dit Cheveux-par-en-avant à Jérémie.

— J'aide parfois mon père, déclare Maud
en levant le menton.

Émily trouve ça vraiment prétentieux.
«C'est qui, son père, d'abord? Pour qui elle se
prend, elle?»

Mais Jérémie a l'air impressionné.

— Ok, on va essayer un peu moins vite.

— Maintenant que j'y pense, lance Émily,
est-ce que ça se peut que la guitare basse soit
juste un petit peu trop aiguë? Trop haute, je
veux dire. Trop… En tout cas. Vraiment pas
beaucoup, tsé. Mais juste assez pour que ça
fasse… heu… drôle?

Elle n'en revient pas d'avoir dit ça. Est-ce
qu'elle vient de parler? Est-ce qu'elle vient de
CRITIQUER ce que des musiciens de troisième
secondaire ont fait? Ou c'est juste un cauche-
mar et le réveil-vache va sonner-meugler dans
cinq, quatre, trois, deux, un…

« Allez, réveil-vache.

« SONNE !

« SONNE !

« MEUGLE ? »

— Tu trouves ? dit l'Asiatique.

« Eh merde. »

— Ben voyons donc ! s'exclame Maud. T'es loin !

— Attends, continue l'Asiatique. Donne-moi un *do*, Breton.

— Pourquoi ? Qu'est-ce qu'elle connaît là-dedans, elle ? répond le Breton en question.

— Ben oui, lâche Émily. Laissez faire.

— Non non ! insiste l'Asiatique. Tu décrivais une erreur de *pitch*. On va vérifier.

Cheveux-par-en-avant-Breton joue un *do*. L'Asiatique aussi. Émily entend clairement l'écart entre les deux. Il est petit, mais il est là.

— Ah ben, oui ! fait l'Asiatique. T'avais raison ! Elle avait raison, les gars…

— Hein ? dit Jérémie.

— Pis tant qu'à s'accorder, on va le faire comme il faut. On va arrêter de se fier au *pitch* du clavier. As-tu ton iPhone ? demande-t-il à Jérémie. On doit pouvoir trouver une clé d'accord sur Internet.

Emma sort son carnet pour écrire « clé d'accord » avec un point d'interrogation. Puis elle regarde Émily en souriant pendant que tous les gars sont penchés sur le cellulaire de Jérémie. Émily voudrait disparaître dans le plancher. Elle sent son nez devenir rouge. « MERDE ! »

— Ouais, c'est ça ! s'écrie l'Asiatique en écoutant la note qui sort du cellulaire.

Il prend l'objet et retourne derrière son clavier. Puis, après avoir touché quelques boutons, il déclare :

— On était pas mal loin de la note, les gars. Mon *pitch* était pas bon pantoute ! Si, en plus, Breton était mal accordé, ça pouvait bien sonner drôle !

Les autres garçons accordent leurs instruments. Un silence respectueux règne dans le local. Puis ils réessaient l'intro de la chanson.

— Ah oui, c'est mieux maintenant, dit Maud sur un ton professionnel.

— Me semble que tu disais que ça avait pas rapport ? lance Emma.

— Émily a parlé d'aigu, répond Maud. C'est pas aigu ! C'est une question de… heu… « piche ». Mais maintenant le… « piche »… est bon.

— Tu fais de la musique, toi aussi ? demande Jérémie à Émily.

— Moi ? Heu… non. Ben, un peu. Mais pas beaucoup.

— En tout cas, merci, NIKKI !

Jérémie sourit à Émily avant de refaire un accord sur sa guitare.

— On recommence?

«Oh oui! Recommencez!» se dit Émily qui voudrait bien revivre ce moment pendant des années. Jérémie l'a regardée en souriant. Il lui semble même qu'il lui envoie de petits signes pendant qu'il joue.

«Mon Dieu. Des signes, songe-t-elle. Et si le choc électrique était un signe… d'électricité?»

— Le choc, c'était bel et bien un signe, chuchote-t-elle à l'oreille d'Emma.

— Ah oui? De quoi?

— Ben, tsé! La note, la guitare. Je capte des affaires, dit gravement Émily.

— Moi, j'ai une autre explication: c'était un signe que Maud serait foudroyée, réplique Emma avant de recommencer à rire dans ses mains, suivie d'Émily.

«Pffff. Pfffff… Pff… Pff… Hihihihihihi-hihihi…»

14.

Juste une clé de sol pour chanter
jusqu'au matin
Du bout des doigts je frôle la vérité
Donc je suis à mi-chemin
— Zaho, *La roue tourne*

— Je pense pas que le ketchup soit une bonne idée, dit Emma.

Celle-ci a deux grosses taches de sauce rouge aux commissures de la bouche. Les filles sont assises dans le solarium. Elles devraient être en train de faire leur travail d'histoire : construire une espèce de maquette de château du Moyen Âge en carton. Mais elles essaient plutôt le costume d'Halloween qu'elles porteront demain pour aller au pensionnat.

— C'est parce que le ketchup coule pas, répond Émily. C'est trop épais. Alors, ça fait un gros MOTTON de chaque bord. Essaie donc de parler pour voir?

— Blablabla, mordre, blablabla, mordre, blablabla, fait Emma.

— Non, ça reste là, ça coule pas. Eh, merde!

— C'est peut-être pas OBLIGATOIRE d'avoir du sang qui coule pour avoir l'air de deux vampires?

— Ben là! Déjà qu'on peut pas enlever l'uniforme! Ça va finir qu'on va avoir l'air déguisées en deux filles ordinaires!!

— Ben, avec les fausses dents, c'est déjà ça...

— Deux filles ordinaires avec des grandes dents. AH MAUDITE MARDE!! MAUUU-DIIIIITE MAAAAARDE!!! crie Émily en se levant et en jetant à bout de bras la bouteille de ketchup qui, par chance, est fermée.

— Attends un peu, tempère Emma en fouillant dans son carnet. Les vampires, ç'a toujours le teint blanc parce que ça souffre de porphyrie. C'est une vraie sorte d'anémie très grave. Alors, on pourrait se faire un teint blanc avec du fond de teint blanc. Ç'aurait l'air moins ordinaire...

— Oui, c'est vrai! s'exclame Émily qui retrouve soudain sa bonne humeur. On pourrait se faire des cernes mauves sous les yeux. Et puis, avoir l'air très fatiguées. Et très tristes.

— Ok!

— Je vais aller chercher de la farine, dit Émily en sortant du solarium.

Emma essuie le surplus de ketchup sur son visage avec un mouchoir et va changer la *playlist* qui joue sur le lecteur mp3. Elle sélectionne Lady Gaga. « Est-ce que Lady Gaga est porphyrique ? se demande-t-elle. Mouhahahaha ! Elle a sûrement un syndrome quelconque. Trop bizarre. »

Si Emma devient un jour une star, elle ne sera certainement pas une diva. Ça, c'est plutôt le genre de Maud. Ou encore d'Émily, tiens, puisqu'elle est si... émotive ! « Émily a l'air d'une petite fille sage, se dit Emma. Mais quand on la connaît, elle bout comme une bouilloire oubliée sur le rond. »

Elle s'allonge sur le lit et regarde les arbres par les murs-fenêtres de la pièce en écoutant *Born This Way*. Quel genre de fille serait-elle si elle était née dans ce quartier ? Et qui sont tous ces gens qui habitent près d'ici ? Ont-ils déjà visité des quartiers comme le sien ? Savent-ils que des gens comme elle existent, et vivent dans la même ville qu'eux ?

Marie-Pier va à la polyvalente, alors elle doit maintenant côtoyer des filles comme Emma. Des filles qui ne sont pas aussi riches qu'elle. Et pourtant, Marie-Pier ne semble pas du tout apprécier

Emma. Cette dernière a bien remarqué la façon dont la meilleure amie d'Émily la regarde quand elles se retrouvent toutes les trois. Emma n'inviterait jamais Marie-Pier chez elle, sachant qu'elle jugerait son quartier et le trouverait laid.

Néanmoins, Emma adore son quartier. Elle l'aime même davantage que le leur. Bien sûr, il y a moins d'arbres, et les maisons, beaucoup plus petites, sont entassées les unes sur les autres. Mais ses voisins sont gentils. Et puis, il y a toutes sortes de bonnes odeurs qui entrent dans sa chambre, l'été.

Il faudrait qu'elle invite Émily chez elle. Ça fait maintenant près de deux mois qu'elles sont amies; c'est au tour d'Émily de venir voir sa chambre. Il est temps de lui présenter ses parents et son petit frère.

Émily entre dans le solarium avec un paquet de farine et la trousse de maquillage Vuitton de sa mère.

— Je l'ai prise dans sa salle de bain, lance-t-elle, tout excitée.

— Elle sera pas fâchée?

— Noooon… Je la prends quelquefois.

La farine se révèle un très bon truc pour se donner un teint de vampire. Et avec une demi-lune de poudre rose sous les yeux, ça donne un super effet. Emma et Émily courent jusqu'à la salle de bain en riant. Avec les fausses dents qu'elles ont achetées, elles ont vraiment l'air de deux vampires.

— Chuis chu chchjechchc chonje chchch-chc chettecherie che chui penche cherrji…

— Je comprends rien, dit Émily en retirant ses dents.

— Oups, fait Emma en retirant à son tour les siennes. Eh bien, Houston, on a un problème technique. On pourra pas se parler, je pense. Pire. On pourra pas parler tout court.

— Houston ? Pourquoi Houston ? Le lien, s'il te plaît ?

— C'est une blague de la mission Apollo 13. Tsé, quand les réserves d'oxygène ont explosé ?

— Je sais pas, j'ai pas vu le film.

— Oh, Émily ! répond Emma en se frappant le front. C'est pas juste un film, c'est une histoire VRAIE !

— Je sais pas, moi, Emma, je suis pas une *nerd* comme toi.

— On dit pas « *nerd* ». On dit « intello ». Les *nerds*, ce sont ceux qui sont incapables de fonctionner dans la société. Ceux qui n'ont pas d'amis parce qu'ils ont des problèmes relationnels.

— Bon bon bon, comme tu veux.

— Je voulais dire qu'on a un problème. On pourra pas parler avec nos dentiers.

— Oh non ! C'est vrai !!!

— Ben, on parlera pas. On sera deux vampires muets. Ça va faire encore plus peur. Ça va faire… mystérieux.

— Ouin. On va dire.

Emma prend un mouchoir et enlève un peu de farine.

— Émily, est-ce que tu viendrais chez moi pour le prochain travail à faire?

— BEN OUI! Tu m'invites jamais!

— Youpi!!! Ok!!! fait Emma en souriant.

Ses dents ont l'air toutes jaunes à cause du blanc de la farine.

— Eille, ça nous fait des dents jaunes, dit Émily en se souriant dans le miroir.

— Il nous reste juste à ne JAMAIS retirer notre dentier, répond Emma en s'esclaffant.

— On va l'avoir, la journée d'Halloween! s'exclame Émily sur un ton sarcastique en continuant à retirer son maquillage. Je suis sûre que Maud va avoir un SUPER costume, poursuit-elle. Tout est toujours SUPER avec elle. C'est vraiment POCHE pour nous.

— En tout cas, elle ne m'appelle plus « le puceron » depuis l'affaire du local d'improvisation. On dirait qu'elle a compris.

— J'aimerais vraiment ça, savoir c'est qui, son père.

— Pourquoi?

— Ben, parce qu'elle a dit qu'elle l'aidait souvent en musique. Il doit être musicien. C'est peut-être la fille d'un chanteur ? Et elle viendrait à l'école sous un autre nom !!! OH… MON… DIEU ! C'est peut-être la fille de… j'sais pas moi… d'un Black Eyed Peas ? De Michael Jackson ?

— Ben non, il est mort, lui.

— Ou un autre… Mais quelqu'un d'IMPORTANT ! Et c'est pour ÇA que Jérémie était impressionné.

— GOOGLE ! crient les deux filles en même temps en se ruant vers le solarium pour accéder à l'ordinateur d'Émily.

— Je vais appeler Marie-Pier, dit Émily. Elle va nous aider, elle est super bonne pour choisir les bons mots-clés dans les recherches sur Internet. Moi je tombe toujours sur des millions de liens pas rapport…

Emma est déçue de l'idée d'Émily, mais ne dit rien. Après tout, c'est la « meilleure meilleure meilleure » amie de sa « meilleure meilleure meilleure » amie à elle. Elle écoute Émily parler au téléphone.

— Oui, ben, on est en train de faire un travail d'histoire, mais on est en pause… Oui, elle est ici… Ben non !… Ok, on t'attend.

— Je pense que Marie-Pier, elle ne m'aime pas beaucoup, déclare Emma d'une petite voix, aussi petite qu'elle-même est courte.

— Ben, tu vois, elle pense la même chose. Alors, tout est réglé. Elle s'en vient.

Émily tape « Maud Trahan » dans la fenêtre de recherche. Il n'apparaît rien d'intéressant. Zut! Bien sûr, il y a sa page Facebook, mais les filles l'ont déjà lue. Elles ne font pas partie de ses amies. Elles remarquent alors que Maud a changé sa photo. Elle est en maillot de bain. Rose. Un minuscule maillot de bain rose.

— Moi, je serais trop gênée pour mettre une photo de moi en maillot de bain sur Facebook, dit Émily, presque à regret.

— MOI AUSSI!! répond Emma. Et puis, moi, je n'ai pas un maillot deux pièces. C'est un une-pièce jaune. Et de toute façon, quand je mets mon maillot de bain, on dirait que je m'en vais dans une pataugeoire de poussin.

— Moi, j'ai un maillot deux pièces Kenzo que j'aime beaucoup. Tu veux le voir?

— Oui!

Émily court se changer derrière le paravent installé dans un coin du solarium et en ressort avec un bikini argent. Il est magnifique et pas trop petit. Juste… parfait.

— WOW! s'exclame Emma. Tu as l'air d'une star!

— Il est beau, hein? Je le mets juste pour me baigner ici. J'ai jamais osé le mettre pour sortir, alors il n'y a pas beaucoup de monde qui l'a vu.

— Sauf moi! lance Marie-Pier en entrant dans le solarium.

— Regarde la photo de la fille dont je te parlais, dit Émily en pointant l'ordinateur du doigt. Elle est en maillot de bain sur Facebook.

— Oh oui, je l'ai vue hier, fait Marie-Pier en s'asseyant devant l'ordinateur. Elle est dans les amis de Jérémie.

Emma lève les yeux au ciel. Marie-Pier l'a complètement ignorée, et elle déteste ça.

— Penses-tu que je devrais mettre une photo de moi en maillot de bain, moi aussi? demande Émily.

— Oui!!! s'écrie Marie-Pier en sortant son iPhone. Je peux la prendre tout de suite!!! T'es super belle!

— Heu… non?! dit Emma. C'est l'automne, ç'aurait l'air fou de changer MAINTENANT pour une photo en maillot! Je veux dire: ta photo est belle. Pourquoi tu la changerais? Et puis, une photo en maillot de bain, ça fait un peu… prétentieux.

— Je trouve pas, réplique Marie-Pier en regardant l'écran. Mais fais ce que tu veux, Émil. Bon, on cherche quoi?

— On cherche qui est le père de Maud Trahan, répond Émily en enfilant un grand chandail de cachemire par-dessus son maillot de bain pour ne pas avoir froid.

Elle adore ce chandail, car il est doux et lui donne un look de star en vacances.

— Elle a dit qu'elle aidait souvent son père en parlant de musique, poursuit-elle. Ça doit être la fille d'un musicien super connu !!

— C'est peut-être juste la fille de Luc Trahan ?

Émily et Emma se regardent. Ben oui ! Elles n'y avaient pas pensé. Maud doit être la fille de Luc Trahan, le gérant d'artistes. Le gérant d'artistes super connu qui a lancé la carrière de plein de vedettes internationales.

Le gérant d'artistes de Lola Smith, qui habite maintenant aux États-Unis et qui vend des disques partout dans le monde.

Luc Trahan.

Wow.

— Ben oui, c'est ça, fait Emma, soudain excitée. C'est la fille de Luc Trahan ! Wow ! Je vais à la même école que la fille de Luc Trahan ! ! !

— Tu vas à la même école que ben du monde, ma fille, lance Marie-Pier sur un ton agressif. Tu t'en es juste pas rendu compte !

— Je pensais que c'était la fille d'un musicien, dit Émily, un peu déçue.

— Eh ben, non. Bon, ben, moi, j'y vais. Les histoires de gens célèbres, ça m'intéresse pas. Je suis pas une groupie, moi.

— Juste une groupie de Piscine Plus, rétorque Émily.

— C'EST PAS PAREIL ! Je suis pas une groupie. Je suis une AMIE.

Émily est mortifiée. Elle est en train de se chicaner avec sa meilleure meilleure meilleure amie devant Emma. Surtout, elle se sent coincée entre les deux. C'est horrible.

— Ben oui, je le sais. C'est pas ce que je voulais dire. Va-t'en pas tout de suite, dit Émily, tout en souhaitant le contraire.

Pourquoi souhaite-t-elle que Marie-Pier parte ?

— Tu peux... heu... nous aider à faire notre maquette ?

— Non. Je vais y aller. Je m'en vais magasiner, j'ai besoin de beaucoup de vêtements pour l'école parce que j'aime pas ça, porter la même chose deux fois de suite.

Marie-Pier sort du solarium et grimpe le talus jusque chez elle. Émily cherche à voir si elle porte encore un string, mais elle a déjà fini de grimper et a disparu derrière les arbres.

— C'est sûr que l'uniforme obligatoire, c'est pratique pour le look, dit Emma pour détendre l'atmosphère.

— C'est sûr, admet Émily.

— On se remet à la maquette?

— Ouais.

En tentant d'ouvrir le pot de colle, Émily réalise que Marie-Pier doit avoir changé sa photo Facebook, elle aussi, hier, en voyant celle de Maud. Et c'est sûrement une photo d'elle en maillot de bain.

« Je DÉTESTE Facebook », pense Émily en frissonnant sous son grand chandail.

15.

«AAAAAAAAAAAAAAAHHHH!!!»

Émily sort de l'école ENRAGÉE. Elle a retiré son uniforme, comme elle le fait toujours depuis la rentrée, pour enfiler ses propres vêtements, mais cette fois ils ne la rassurent pas.

Au contraire.

Elle se sent ridicule.

Elle s'est sentie ridicule toute la journée. Tout ça à cause de l'Halloween.

Elle déteste l'Halloween. Elle va détester l'Halloween jusqu'à sa mort, c'est certain. Et surtout, surtout, elle ne se déguisera plus jamais.

La journée a pourtant bien commencé. Emma et elle se sont retrouvées devant les casiers, comme d'habitude, avant le début des cours. Mais, ce matin, c'était pour se maquiller en vampires. Elles sont sorties des vestiaires avec leurs visages blancs, leurs fausses dents et leurs cernes en pouffant de rire.

Plusieurs élèves dans leur classe avaient mis un élément de costume pour rire. De grosses lunettes, des moustaches, des rallonges de cheveux. Maud avait de jolies oreilles de chat. Un garçon avait même mis une grosse perruque de clown multicolore et un nez rouge. Une fille avait eu l'audace d'enfiler un sarrau blanc de médecin plein de faux sang sur son uniforme, mais elle a dû le retirer.

L'avant-midi s'est déroulé sans embûches. Mais, dans le couloir, alors qu'elle se rendait aux toilettes au milieu de l'après-midi, Émily a croisé Grand-Roux en compagnie de Jérémie. Pas déguisés.

— Hé, Nikki! Tu devrais aller voir l'infirmière, a dit Jérémie en riant. Tu as l'air pâle.

— Oh, c'est vrai, elle est en secondaire 1! On se déguise encore quand on est en secondaire 1. J'avais oublié! a poursuivi Grand-Roux. Te rappelles-tu en quoi tu t'étais déguisé il y a deux ans, Granger?

— Tu es déguisée en quoi, au fait, Nikki? a demandé Jérémie sans répondre à Grand-Roux.

— Chuij diguijé churiju chjchjchjc…, a répondu Émily avant de retirer ses fausses dents.

Et là, le ciel lui est tombé sur la tête. Pire. L'école au complet s'est écroulée sur elle. En retirant ses dents, Émily a vu un énorme filet de salive s'étirer entre le dentier et sa bouche. Le gros fleuve de bave est alors tombé par terre. En faisant un gros «FLOC!».

— Beurk! Dégueu! a crié Grand-Roux.

Jérémie a un peu reculé lui aussi en faisant la grimace et il a eu un haut-le-cœur! Émily l'a vu! Puis les deux garçons se sont éloignés, la plantant là, toute seule, dans le corridor, avec la flaque de bave à ses pieds. C'était… épouvantable.

Émily a donné envie de vomir à Jérémie.

C'est sûr. Elle n'ira plus jamais à l'école.

Elle a passé la fin de l'après-midi à refouler ses larmes, refusant de raconter à Emma ce qui s'était passé. Elle avait une boule gigantesque dans la gorge. Une boule mammouth.

Maintenant que la journée est finie, elle peut enfin hurler sur le trottoir. Mais, au lieu de crier, elle sanglote et se sent encore plus minable. Un vrai bébé. Qui BAVE, en plus! Elle entend bien Emma qui court derrière elle en l'appelant, mais elle n'a envie de voir personne.

Elle ne peut même pas aller se réfugier dans le solarium. Elle doit se rendre à son premier cours de chant! Elle a rendez-vous à 16 h 30 et il est déjà 16 h passées. Elle qui s'était promis de prendre l'autobus, toute seule, elle sera obligée d'appeler un taxi pour éviter que monsieur Simard aille tout raconter à sa mère! « C'est vraiment une journée ATRO-CEMENT ATROCE! » rage-t-elle.

Elle se retrouve donc devant l'immeuble de madame Gentilly, ses écouteurs Bee dans les oreilles, dans un état proche de la mort clinique. Elle sonne en se disant que plus rien ne peut lui arriver, que tout lui est déjà arrivé.

— Tu es en retard. Entre quand même, grince une voix en haut de l'escalier.

Eh bien, non. Tout ne lui était pas arrivé, il faut croire.

— Je ne savais pas qu'Alain avait des amis clowns, lance encore madame Gentilly en faisant un geste vers le salon.

« Alors, c'est ça, la fameuse madame Gentilly? Une femme qui a l'air d'avoir cent ans, toute plissée, avec des cheveux teints en noir ramassés en chignon et des yeux maquillés avec du charbon?

« C'est ÇA, l'amie de Câlin?

« Impossible.

« IMPOSSIBLE. »

— Heu… je viens pour une leçon de chant.

— Oui oui, dit la dame en agitant encore la main. Ok, *dear*, va dans le salon.

— Hum. Ok.

Émily a de la difficulté à bien comprendre la vieille (!!!???) femme qui vient de lui ouvrir, puisqu'elle parle avec un très fort accent anglais. Mais elle se dirige néanmoins vers le salon à petits pas. Peut-être est-ce seulement la domestique.

— Alors, c'est toi qui as un talent, paraît-il?

— Vous êtes madame Gentilly?

— Réponds à ma question. Et que fais-tu avec de la farine sur le visage?

Émily a pourtant retiré tout son maquillage de vampire pendant la récré de l'après-midi, après l'épisode de son humiliation suprême.

— Je ne sais pas si j'ai un talent… heu… madame. Et la farine, c'est le reste de mon maquillage d'Halloween. C'est… heu… c'est un peu compliqué à expliquer.

— Alors, tais-toi, *dear*. On va commencer par une série courte. Dépose ton sac et tiens-toi droite, lance madame Gentilly en s'asseyant au piano.

« Oh! la vieille grenouille », pense Émily.

Sa nouvelle prof de chant ne lui plaît pas, mais pas du tout. En plus d'être vieille, elle est BOURRUE! BOURRUE comme la voix de la mère d'Emma. En pire. Mais Émily se concentre pour ne pas faire d'erreurs. Elle chante les quatre notes bien sagement.

— D'accord, dit Vieille-Grenouille. Maintenant que tu as fait n'importe quoi, tu vas CHANTER la série de notes que je te donne.

— Je n'ai pas…, commence Émily.

— Bien sûr que si, tu as fait n'importe quoi, *dear*. Alors, respire et chante-moi la série.

Émily sent que son menton commence à trembler. AH NON ! Elle ne va pas encore se mettre à pleurer ! Ça suffit maintenant ! Mais ses yeux s'embuent. Son nez doit assurément se couvrir de plaques rouges.

— Bon, fait « la vieille grenouille qui pue » en se levant péniblement du banc de piano. Je vais me faire un thé dans la cuisine. Quand tu seras prête à chanter sans… Comment dit-on en français ? Pleurnicher ? C'est ça ? Eh bien, tu viendras me chercher.

Émily regarde « la vieille grenouille », non, « le CRAPAUD plein de PUSTULES » sortir du salon en s'appuyant sur sa canne.

« C'est vraiment la PIRE, PIRE, PIRE, PIRE journée de ma vie ! *DEAR* !

« Qu'est-ce que je vais dire à Alain ? "J'ai chanté quatre notes et je suis partie"? Ça n'a pas de sens, pense-t-elle en essuyant ses yeux sur sa manche. Je vais venir à bout du batracien. Je vais lui montrer que je SAIS CHANTER. »

Elle inspire profondément, relève les épaules et même le menton, comme le fait Maud.

Tiens, et si elle devenait Maud pour une heure?

« Je suis Maud Trahan, se dit-elle.

« Je suis Maud Trahan.

« Je suis Maud Trahan. »

Dans la cuisine, la pustule est assise devant une théière transparente dans laquelle nage une grosse fleur mauve gorgée d'eau. C'est si joli que ça donne du courage à Émily. Si Pustule boit des fleurs, elle ne doit pas être si pustule que ça.

— Je suis prête. Je vais chanter.

— Bon.

Elles refont toutes les deux le chemin inverse, et c'est tellement long qu'Émily a le temps de changer d'idée trois fois (« Je m'en vais », « Je reste », « Je m'en vais ») et de revenir à sa première idée : rester et chanter.

De retour (enfin) dans le salon, madame Gentilly se rassoit sur le banc de piano en grimaçant et approche ses mains toutes veinées du clavier. Mais, à la toute dernière seconde, elle les retire sans y avoir touché.

— Juste pour voir, dit-elle. Chante-moi la série de notes que nous avons faite il y a un instant.

Émily lève le menton, inspire profondément et chante les quatre notes. C'est beaucoup mieux que la première fois, même si ça ne ressemble pas du tout à la voix qu'elle peut produire quand elle est seule dans sa chambre.

— Très bien, *dear*. Je me doutais que tu avais de l'oreille. Maintenant, cesse de lever le menton comme tu le fais. Ça écrase ton pharynx. Tiens-toi droite, c'est tout. Et maintenant, peux-tu me chanter une tierce à partir de chaque note ?

— Heu… je ne comprends pas.

— Qu'est-ce que tu ne comprends pas ?

— Ce que vous me demandez.

— Tu ne sais pas ce qu'est une tierce ?

— Non.

Pustule soupire. Elle joue une nouvelle série de notes. Émily voit tout de suite de quoi il s'agit. Ce sont les notes qu'elle aurait pu chanter «pour faire joli».

— C'est ça, une… tierce ? demande-t-elle en souriant.

— Bien, fait Pustule en ignorant la question d'Émily. Y a-t-il une autre série de notes que tu pourrais chanter PAR-DESSUS ces deux séries ?

Émily a compris et sourit de toutes ses dents. Ses dents qui ont été jaunes toute la journée à cause de la farine. Ses dents qui maintenant brillent dans le salon de madame Gentilly.

— Oui, madame !!

Et Émily chante une troisième série de quatre notes. Pustule frappe dans ses mains une fois en se levant du banc de piano.

— Bon, allons-y. Nous allons commencer par t'apprendre à te tenir droite, dit-elle en lui frappant légèrement les reins. Qu'est-ce que c'est que cette posture? Pourquoi te tiens-tu aussi courbée?

— Heu... je sais pas, peut-être que...

— On va t'apprendre à assumer ta grande taille, la coupe la vieille femme. Et à respirer, surtout, poursuit-elle. RESPIRER. Tu respires comme un mulot qui vient de naître. Pas comme une chanteuse. Et tu es une chanteuse, il n'y a pas de doute. Maintenant, va enlever ce reste de farine que tu as sur le visage, *dear*. Ça m'indispose.

«Eh bien, la journée ne sera peut-être pas si mauvaise après tout», pense Émily qui a presque (PRESQUE) oublié l'histoire de la bave.

16.

De : Émily Faubert (emilfaubert@hotmail.com)
À : Alain Faubert (alain.faubert@yahoo.ca)
Objet : Cours de chant

Salut ! !
Je reviens de mon premier cours de chant avec
madame Gentilly ! ! ! Ce n'était pas facile mais
je pense que ça va. Elle est un peu… bête ?
C'est vraiment ton amie ? ? ? Elle a un accent
VRAIMENT bizarre quand elle parle. ETK, elle m'a
appris c'est quoi une tierce. Cool.

À +
Émily

P.-S.: Je suis allée sur le site de Frog and Ladder et la musique est VRAIMENT trop drôle. J'ai hâte que tu me dises comment tu as fait les petits «piout piout». ☺

De: Alain Faubert (alain.faubert@yahoo.ca)
À: Émily Faubert (emilfaubert@hotmail.com)
Objet: Re: Cours de chant

Bonjour, Émily!
Hahahahahaha! Je t'avais avertie qu'elle avait l'air d'un pitbull! C'était mon professeur à l'époque, tu te rappelles? Alors oui, forcément elle est un peu plus âgée. Mais elle est très réputée. Et elle est très connue dans le milieu, tu sais. Si elle a décidé de te prendre, c'est qu'elle a senti que tu avais un talent à exploiter. Je ne m'étais pas trompé! Héhé. Les «piout piout», c'est un son préenregistré que j'ai ajouté par-dessus. Je te montrerai, si ça t'intéresse.

Quand viens-tu me voir à la boutique? J'ai besoin de ma décoratrice.

Ton oncle Alain

De: akjdkjhf@hotmail.com
À: Émily Faubert (emilfaubert@hotmail.com)
Objet: SAVE!

Hey Émily. Did you know that the Lion Life is
now selling insurance for half the usual price?
Don't stay vulnerable and suscribe now to our
new program!!! For information, call free
at 1-800-226-2457.

De: Karine Esposito (superbebelle@hotmailcom)
À: Groupe d'amis de Karine
Objet: Chance!
Fichier joint: petitpitou.JPG

Salut! Voici une chaîne cool! Bisous xxxx

Salut! Si tu crois à l'amour, tu obtiendras
ce que tu veux de qui tu veux en suivant
les 25 instructions du diaporama ci-joint.
Envoie ensuite ce diaporama à 40 de tes amies
et tu seras irrésistible aux yeux de l'être aimé.

Statut Facebook de Marie-Pier Thibault
« J'ai une nouvelle BFF »

17.

— Tu habites vraiment ici??? demande Émily en observant, dans la rue, les dames vêtues de robes de toutes les couleurs.

Elle n'en revient pas. C'est un quartier tellement différent du sien! La plupart des passants portent des TURBANS ou des robes indiennes roses, mauves, bleues qui dépassent de leurs manteaux.

— Ben oui, répond Emma. C'est un quartier où il y a beaucoup d'Indiens et de Pakistanais. Tu vas voir, même mon dépanneur vend des films indiens! Cool, hein?

«Ouin, se dit Émily. Pas sûre…»

— Ce sont des films très drôles, poursuit Emma. Il y a toujours des chorégraphies et des chansons. Moi, j'aimerais teeeellement ça, jouer dans un film comme ça!

Emma est intarissable. Elle est si contente de faire connaître son univers à son amie qu'elle ne peut s'arrêter de parler.

— Ça, c'est mon voisin, monsieur Patel. Sa femme a les plus beaux saris de toute la rue. Ils ont une fille, Kavita, qui porte toujours des bijoux en or… Elle est super belle. Et puis, ça, c'est un restaurant qui vend du super bon poulet au beurre.

— C'est un restaurant, ÇA? Ben voyons, tu me niaises?

Emma est aux anges, mais Émily a un peu… peur. Au départ, elle était très contente de faire une petite excursion avec Emma. D'autant plus qu'elle commence à vraiment aimer sortir sans monsieur Simard et la Volvo. C'est si agréable de se sentir libre comme l'air! Mais ici… Que cachent ces hommes sous ces turbans? Ont-ils des cheveux? Surtout, elle se dit que JAMAIS elle ne mangera la nourriture qui vient de ce… de ce…

— Non, répond Emma. On ira s'en chercher pour manger tantôt!!!

«Heu… NON NON NON NON!» pense Émily.

Elles arrivent enfin devant l'immeuble à loyer modique où habite Emma. Émily n'a jamais vu ce genre de bâtisse, sauf dans les films. Elle s'attend presque à voir des graffitis dans les escaliers, comme dans *Danser dans les rues*, mais non. Les murs sont blancs et propres.

— On dirait que tu habites dans un film…

— Moi aussi, j'ai cette impression-là quand je vais chez toi, dit Emma.

Elle ouvre la porte et un petit garçon s'élance vers elle en hurlant :

— Emmaaa ! Emmaaa ! Emmaaa !

— Salut, Biscuit !

— Sa-luuuu, Bi-kui.

— C'est mon frère Téo, explique Emma en le prenant dans ses bras. Mais on l'appelle «Biscuit» parce qu'il veut juste manger des biscuits.

— Bi-kui ! Bi-kui ! Bi-kui, crie Téo.

Émily a déjà mal aux oreilles. Il y a beaucoup de bruit chez Emma. La télévision joue dans le salon et on dirait que quelqu'un parle au téléphone dans la même pièce. Habituée au silence de sa maison, Émily a les oreilles qui bourdonnent en enlevant ses bottes.

— Mamaaaaaaan ? Papaaaaaaaaaaaaaa ?

— Ouiiiiiiiiiiiiiiiiiiiiiiiiiiiiiiiiiiiiiiiiiiiiiiiiiiiiii, répond la voix bourrue.

Pendant un instant, Émily pense qu'elle va voir arriver une femme portant un sari bleu poudre.

Et si Emma était Indienne ?

Émily n'y avait pas pensé. C'est vrai qu'elle a les cheveux et les yeux foncés.

«OH… MON… DIEU!»

Peut-être que son père porte un TURBAN…

Émily suit Emma dans le salon en se demandant comment elle doit réagir si sa crainte s'avère fondée. Doit-elle dire quelque chose de particulier à quelqu'un qui porte un turban?

Le salon est minuscule. Sa propre salle de bain est plus grande que le salon d'Emma. Et puis, il y a des jouets partout. Et les deux divans sont mal assortis. Marie-Pier n'en reviendrait pas, elle qui n'aime que ce qui est tendance. «Puuunaise.»

«OH… MON… DIEU!

«Y a-t-il des punaises?»

Mais Émily se rappelle que Marie-Pier n'est plus sa «meilleure meilleure meilleure» amie. Elle a encore de la peine quand elle y pense, même si plusieurs jours ont passé depuis qu'elle a vu son statut Facebook. En fait, elle a le cœur en mille morceaux.

Qui est la nouvelle BFF de Marie-Pier? Pourquoi celle-ci ne lui a-t-elle pas écrit qu'elle avait une nouvelle amie? Une meilleure meilleure meilleure amie en plus? Est-ce qu'Émily a dit quelque chose qu'il ne fallait pas? Est-ce que c'est à cause de l'affaire de la photo en mini-maillot de bain?

Et puis… pourquoi Marie-Pier ne lui écrit-elle plus tous les jours, comme avant?

Ouin. Il faut dire qu'Émily ne lui écrit plus autant, elle non plus. Difficile de garder le contact quand on ne va pas à la même école… Est-ce que c'est comme ça qu'on perd une meilleure amie ? Sans le réaliser vraiment ? Pfiout, disparue ?

« Emma n'est pas Marie-Pier, se dit Émily. Mais peut-être devrais-je arrêter de les comparer l'une à l'autre ? Emma n'a pas une maison très… jolie, disons. Mais elle aime la musique. Elle est DRÔLE. Et elle aime quand je chante.»

— On est venues faire notre travail de géo ici, lance Emma à sa mère qui est bel et bien au téléphone.

« OUF ! sa mère n'est pas en sari ! songe Émily. Pourquoi OUF ? Au fond, est-ce que ça aurait été siiiiii grave ? » se demande-t-elle ensuite.

La mère-d'Emma-qui-porte-un-jeans-et-non-pas-un-sari sourit à Émily avant de continuer à parler. Elle lui a souri ?! «Elle est peut-être bête uniquement au téléphone ? Peut-être qu'elle parle TROP SOUVENT au téléphone et que ça la rend BÊTE ?»

— Et ça, c'est ma chambre, dit Emma en déposant Biscuit.

Elle ouvre alors grand ses yeux. C'est la pièce la plus vaste de l'appartement, mais il y a un petit lit à barreaux en plus de son lit.

— C'est la chambre de ton frère ou c'est la tienne?

— Ben, c'est la nôtre en fait, répond Emma en lançant les manteaux sur le plus grand des deux lits.

— HEIN???

— Ben oui, on est dans la même chambre. Mais ça me dérange pas. Regarde, je vais te montrer quelque chose que je n'ai jamais montré à personne…

Emma éteint la lumière et ferme les rideaux. Puis elle allume la lampe sur le bureau et, soudainement, toute la chambre devient bleue. Des poissons de toutes les formes, mais aussi des pieuvres, des anguilles et des dauphins semblent nager sur les murs et le plafond. C'est tellement…

Relaxant.

Émily regarde, abasourdie, l'abat-jour de la lampe qui tourne et ondule lentement.

— Poi-on! Poi-on! crie Téo.

— Où tu as trouvé ça??? demande Émily, fascinée.

— C'est mon père et moi qui l'avons fait, explique Emma. On a passé toute une fin de semaine là-dessus. Mon père, il est vraiment bon en dessin. C'est son métier, il fait des illustrations dans des livres pour enfants. Moi, j'ai tout découpé en angle pour que les ombres soient pas déformées.

— Mais… on dirait qu'on est au fond de la mer…

— Oui, c'est l'idée, dit Emma fièrement.

— Poi-on ! Poi-on ! répète Téo.

Émily regarde les poissons bouger tout autour d'elle. Comme ce serait beau dans le solarium ! Puis elle a un petit tournimini dans le ventre. Ce n'est pas son père qui ferait une lampe avec elle. Et, surtout, jamais elle ne passerait toute une fin de semaine avec sa mère. Cette dernière travaille beaucoup trop pour ça.

— Bon, fait Emma en rallumant la lumière. Il faudrait qu'on commence le travail de géo si on veut le finir.

— Ok, répond Émily à regret en se levant pour aller fouiller dans son sac.

Elle sent alors sous la plante de son pied un petit soulier de poupée Charming !

— Aouch !

UN SOULIER DE POUPÉE CHARMING ?

Emma aurait-elle aussi gardé ses poupées Charming ?

— Heu… je viens d'écrabouiller un soulier de poupée…, dit Émily en tendant le petit tas de plastique qui ne ressemble plus à rien, surtout pas à un soulier.

— Oups ! Ah… heu… ouais, ben, c'est… heu… c'est à mon frère, bafouille Emma en devenant toute rouge.

— Ton frère joue avec des poupées Charming???

— Ben… heu… oui. Des fois.

Émily sourit. Emma sourit. Et finalement, les deux amies éclatent de rire.

«Au bout du compte, c'est sûrement TRÈS pratique d'avoir un petit frère dans sa chambre», se dit Émily qui a soudainement très hâte de goûter au poulet au beurre du resto du coin.

18.

— Aujourd'hui, *dear*, tu vas te salir un peu, dit madame Gentilly. Tu es trop… propre.

«TROP PROPRE? pense Émily. Ben, voyons donc.»

Elle ne l'appelle plus Grenouille, ni Crapaud et encore moins Pustule. C'est madame Gentilly. Bien sûr, elle est toujours agressive et ne répond jamais aux questions d'Émily. Comme si celle-ci la dérangeait. Mais, au fond, Émily l'aime UN PEU.

Et surtout, elle la trouve belle.

C'est plutôt bizarre, mais c'est vrai. Madame Gentilly est très vieille et, pourtant, elle porte toujours d'élégantes robes. Et son maquillage, même s'il est un peu… exagéré, fait ressortir ses yeux marine. En fait, elle a l'air d'une vieille Japonaise avec son chignon noir. Une vieille Japonaise aux yeux bleus avec une canne. Tu parles d'une Japonaise!

— Ça fait près de deux mois maintenant que tu viens toutes les semaines, et je suis contente de tes progrès. Tu travailles bien. Tu commences à te tenir droite. Mais tu es… trop sage. Trop bonne petite fille, tu comprends?

Émily ne comprend pas. Elle fait ses exercices chaque soir dans le solarium. Elle fait ses vocalises et se concentre pour bien ouvrir le palais mou (c'est difficile!!!) dans le fond de sa gorge. Elle a aussi appris à respirer du ventre et non de la poitrine, ce qui est VRAIMENT compliqué.

Alors, oui, elle est sage! C'est ce qu'il faut, non?

— Heu… oui. Heu… non. En fait, non.

— Mais bien sûr. Tu chantes très bien et tu le sais. Alors, tu chantes comme un bon petit chien savant dans un cirque. C'est très mignon, les petits chiens qui sautent dans les cerceaux. Et tout le monde applaudit. Mais je ne pense pas que tu veuilles être un petit chien. Je me trompe?

Émily est confuse. Bien sûr qu'elle agit comme un petit chien qui saute dans des cerceaux en situation d'autorité. À l'école par exemple, elle est toujours très obéissante. Que se passerait-il si elle cessait de faire ce qu'il FAUT faire?

— Vous voulez dire que je ne devrais pas faire mes exercices?

— Non, *dear*, ce n'est pas ce que je dis.

« Wow ! Madame Gentilly m'a répondu !!! Ça doit être une conversation très importante », se dit Émily.

— Quand tu es seule dans ta chambre et que tu écoutes de la musique, par exemple, que fais-tu ?

« Hum. Eh bien, je saute sur mon lit avec ma brosse à cheveux et je chante. Mais je ne peux pas répondre… ça ! »

— Eh ben… heu… je chante. Heu… debout sur mon…

— Tu as de la musique avec toi ?

— J'ai juste celle qu'il y a sur mon iPhone.

— Ça fera l'affaire, répond madame Gentilly en allant chercher une drôle de cassette qui se termine par un fil.

Elle branche le fil dans le cellulaire et insère la cassette dans son appareil. Émily n'a jamais vu un pareil objet. Elle n'a pas de lecteur de cassettes chez elle.

Pour 3 points : Qui écoute encore des cassettes ?

Réponse : madame Gentilly.

Bingo !

Trois points.

— Voilà. Choisis ta chanson préférée. Et ensuite, écoute-la avec moi.

Émily choisit *Only Girl* de Rihanna. Il y a longtemps qu'elle ne l'a pas écoutée, et elle adore cette chanson. Elle tourne légèrement le bouton du volume.

— Non non, comme chez toi, dit madame Gentilly.

— Hum, je suis pas sûre que…

— Fais ce que je te dis.

— Ok…

Émily met le volume à fond et la chanson résonne tellement fort dans le salon de madame Gentilly qu'elle s'attend à ce que les assiettes de porcelaine au mur se décrochent et tombent par terre. Ou à ce que madame Gentilly soit propulsée au plafond. Mais madame Gentilly n'a aucune réaction. Et les assiettes non plus.

Elles écoutent toutes les deux la chanson. Émily remue un peu ses pieds et secoue la tête sur le rythme. Elle bouge les lèvres en mimant les paroles, mais ne les chante pas. Une fois la chanson terminée, madame Gentilly se lève, appuie sur « pause » et regarde Émily.

— Bon. Nous allons l'écouter en boucle, jusqu'à ce que tu bouges. Je suis prête à écouter cette horreur toute la soirée s'il le faut. Mais je ne te laisse pas sortir d'ici tant que tu ne t'es pas… lâchée. C'est clair ? Comme chez toi. Allez.

Émily est catastrophée. Elle ne va certainement pas prendre une brosse à cheveux ici!!!

— Mais je ne peux pas, madame Gentilly!

— Quelle est la première chose que tu fais en arrivant dans ta chambre? demande la vieille dame en soupirant.

— J'enlève mes souliers, répond Émily.

— Eh bien, vas-y, retire tes chaussures. Qu'attends-tu pour le faire? Ensuite?

— Heu… si j'arrive de l'école, je détache mes cheveux.

— Bon, on avance. Allez, fais-le. Ensuite? Te maquilles-tu? Gardes-tu les mêmes vêtements?

— Non. J'aime ces vêtements-là, dit Émily en dénouant ses cheveux. Je me change à l'école parce que…

— Ok, l'interrompt madame Gentilly. Alors, concentre-toi sur les objets autour de toi ici. Explore-les. Prends-les dans tes mains. Touche mon tapis, sens mes fleurs, bouge. Fais comme si tu étais toute seule.

— Mais c'est pas vrai, vous êtes là!

— Mais tout le défi est là! crie madame Gentilly, excédée. Allez. On recommence, fait-elle en lançant la piste de Rihanna.

— Je peux m'asseoir?

— Qu'en penses-tu ? Puisque je te DIS de faire comme chez toi !

Émily écoute les premières notes et décide de s'asseoir en tailleur sur le tapis. Elle regarde l'ensemble à thé miniature sur la table basse. Puis elle voit un coussin brodé à côté, hésite un peu, et le prend dans ses mains. Il est bizarre, puisqu'il n'est pas carré, mais plutôt en forme de cylindre. Comme un bonbon-coussin. Elle le balance dans les airs en suivant le rythme.

Sans s'en rendre compte, Émily s'est mise à chanter. La musique est tellement forte qu'elle ne s'entend pas, mais ce n'est pas grave. Elle est si absorbée par son exploration des objets qu'elle se laisse prendre au jeu. Lorsque le refrain arrive, elle commence à s'amuser. Elle danse un peu avec le coussin-bonbon, puis avec le service à thé. Mais, soudain, elle réalise qu'elle est devant madame Gentilly et s'arrête spontanément.

— Tu y étais !!! dit celle-ci en arrêtant la musique. Tu as vu ?

— J'avais l'air un peu… débilos…

« Bien sûr que j'ai eu l'air folle, songe Émily, j'ai dansé avec UN COUSSIN et UN SERVICE À THÉ !!! »

— Noooooooon ! répond madame Gentilly. Tu n'avais pas l'air « débilos », comme tu dis. Tu avais l'air d'avoir du PLAISIR. C'est ça que je veux te faire comprendre. J'aimerais que tu aies du PLAISIR à chanter.

— Mais je ne vous ai même pas regardée !

— Et alors ?

Émily commence à comprendre. Elle est un peu… excitée. Sa gêne semble avoir disparu d'un coup. Et son nez… n'est pas rouge !

— On recommence, ordonne madame Gentilly en lançant de nouveau la piste de Rihanna.

Cette fois, Émily commence à danser dès les premières notes. Elle ne regarde pas madame Gentilly, elle regarde le plancher, mais elle s'en fout. Elle sourit. Elle ADORE cette chanson.

Elle se laisse envahir par la musique. Les sons graves résonnent en elle comme si elle était elle-même un tambour. Et sa voix, sa voix commence à sortir. Puissante. Comme un fleuve, comme… comme une avalanche. Elle lève la tête pour que le son sorte encore mieux et se risque à lancer un coup d'œil à madame Gentilly.

La vieille femme est plantée là, si sérieuse et si sévère qu'Émily a envie de rire. « Tu veux que j'aie du plaisir, hein ? Eh bien, je vais te montrer ce que c'est que d'avoir du plaisir », se dit Émily, qui empoigne un micro imaginaire et se lance dans une prestation digne de Rihanna elle-même.

« En mieux, songe-t-elle. Parce que, moi, je ne porte pas de perruque rouge. Hahaha ! C'est HIDEUX, cette perruque. »

Elle est si exaltée qu'elle continue à chanter même si la chanson est terminée. Elle est en sueur d'avoir trop sauté, tourné, elle a sûrement le nez plaqué (« Tiens, non ! »), mais elle a réussi ! ELLE A RÉUSSI ! ! ! Elle a fait comme chez elle, mais devant quelqu'un. Et c'est la première fois ! Alors, elle crie ! Elle lance un gros « YAHOUUUUUUU ! », avant de s'essuyer le front.

— Eh bien, fait madame Gentilly en gardant son air austère, n'est-ce pas plus intéressant que de sauter dans des cerceaux ?

Émily rit. Madame Gentilly reste de glace. « Son visage est sans doute en cire », se dit la jeune fille.

— As-tu remarqué une différence ? demande alors la dame en se levant de son fauteuil.

— Ma voix sort mieux depuis que je sais comment bien ouvrir mon palais. Et j'ai plus de souffle aussi, répond Émily, pourtant essoufflée.

— NON, Je voulais dire : vois-tu une différence entre ce que tu viens de faire et ce que tu fais habituellement quand tu viens chez moi.

— Ah ! Heu… oui.

— Bon. À la semaine prochaine, lance madame Gentilly en lui tournant le dos, avant de se retirer dans une autre pièce.

« Eh ben. Ce n'est pas aujourd'hui que madame Gentilly deviendra gentille », songe Émily en ramassant ses affaires. Mais elle sent que quelque chose s'est ouvert en elle. Elle est une chanteuse. Ça y est.

ÉMILY FAUBERT EST UNE CHANTEUSE.

19.

« Les BEAUX Débarras — Grande vente de Noël »

L'affiche dans la vitrine est vraiment jolie. Il faut dire que le père d'Emma a un réel talent pour le dessin. Et depuis que les filles ont aidé Alain à faire le ménage dans tout son fouillis, la boutique a fière allure.

Il a pourtant fallu se débarrasser de plus de la moitié des choses et Alain en a presque fait une crise cardiaque. « Mes chooooooses ! disait-il en courant dans les allées. Mes dents d'alligatooooors ! Mes roooooches de Papoua-siiiie ! Mes statues de bouuuuue d'Afrique ! » On aurait dit un petit garçon qui a perdu son camion dans le bac à sable. « C'est pour ton bien », répondait alors Emma en lui tapant sur l'épaule.

Et c'était vrai. Alain a vu sa boutique se remplir de clients depuis les nouveaux aménagements. Émily a pris son rôle de décoratrice au sérieux. Elle a convaincu Alain de changer le nom de sa boutique, et elle a choisi de repeindre les murs d'un joli vert forêt et d'ajouter des appliqués de feuilles et de branches par-dessus. La boutique a maintenant l'air d'une jungle mystérieuse. Émily a même proposé de monter le chauffage pour que ça fasse encore plus vrai, mais son oncle a refusé.

— J'ai encore vendu une lampe-poissons et trois lampes-dinosaures cette semaine, dit Alain en voyant Émily arriver, couverte de neige. Il m'en faudrait d'autres.

— Je pense pas que tu vas avoir d'autres lampes-animaux avant Noël, Alain, répond Émily en retirant sa tuque et ses mitaines. Le père d'Emma travaille sur un livre, et Emma est en train de devenir complètement folle avec les examens. Elle ne veut plus rien faire d'autre qu'étudier. C'est… TROP TROP TOP EXAGÉRÉ.

— Elle prend ça à cœur, c'est tout.

— Oui, mais il y a des limites quand même! Elle ne prend même plus le temps de dîner à la cafétéria! C'est pas comme si elle avait peur de couler, elle est la première de la classe. Elle a toujours 100 %.

— Peut-être parce qu'elle travaille beaucoup justement, déclare gravement Alain, qui porte sur la tête un cône turc avec une mèche de soie qui lui donne un air complètement ridicule.

— Coudonc, t'es donc ben plate, toi... C'est bientôt Noël, tu te souviens pas? Ring-a-ling! Ring-a-ling! chante Émily en dansant dans l'allée. Et puis, c'est quoi, le petit casque à pompon?

— Ça s'appelle un fez. Celui-là vient de Konia, en Turquie. J'ai trouvé ça quand je suis allé voir les derviches.

— Est-ce que ça mord?

— Quoi, le fez?

— Non, les derviches!

— Non! Hahahaha! Ce sont des danseurs. En fait, ce sont des gens qui tournent sur eux-mêmes pendant des heures, DES HEURES, jusqu'à ce qu'ils tombent, tout étourdis.

— Wow! Ça doit être drôle.

— C'est surtout très beau. Parce que, pour eux, c'est une façon d'atteindre l'extase.

— En tournant?

— Oui, en tournant. Comme les patineuses artistiques. Zwing zwing zwing...

— Me semble voir la tête du monde si je me mettais à danser comme ça à l'école. Hihihi!

— Au fait, avez-vous une fête de Noël à l'école ? Une danse ?

— Oui, se rembrunit Émily. T'as vraiment décidé de m'assommer, hein ? J'ai assez de madame Gentilly comme marteau à bonne humeur, tu sauras.

— Pourquoi ? T'as pas hâte ? Toutes les filles ont toujours hâte à la danse de Noël, réplique Alain en souriant sous son pompon.

« Oui, se dit Émily. La danse de Noël est excitante. » Surtout qu'elle est organisée dans une salle à L'EXTÉRIEUR du pensionnat et que les élèves pourront porter LEURS VÊTEMENTS au lieu de l'uniforme obligatoire. Émily trouve cela très émoustillant. Elle adore ce nouveau mot, « émoustillant ». Depuis quelques jours, tout est émoustillant.

C'est très émoustillant, donc, parce qu'elle pourra enfin voir le style vestimentaire des autres élèves. Qui est *emo* ? Qui est *skater* ? Qui est original ? Qui est soigné ? Qui a « du *swag* » ? Comment s'habillent truc et muche dans la VRAIE vie ?

Et, la vraie question : comment s'habille JÉRÉMIE ?

Même si la perspective de la fête l'émoustille, cependant, Émily a pris sa décision. Elle n'ira pas. Pas question de se pointer devant Jérémie Granger. Elle l'a évité pendant des semaines. Elle a tout fait pour ne pas le croiser, et a même décidé de changer de cafétéria pour manger son lunch. Maintenant, elle dîne au café étudiant des cinquième secondaire. Moins dangereux.

Elles sont d'ailleurs quelques élèves à jouer les groupies des « vieux de cinquième ». Ceux-ci les laissent manger dans leur café en échange de bonbons ou de cannettes de boisson gazeuse. Et puisque Émily est très grande, elle passe parfois pour une « vieille » de troisième ou de quatrième.

Émily trouve le café des cinquième secondaire GÉNIAL. Il y a des tabourets au comptoir, des boissons sans alcool, de gros fauteuils et même un piano sur lequel certains élèves jouent parfois. Et puisque Emma passe toute son heure de dîner à la bibliothèque (!!!), Émily se réfugie là en attendant. Elle a même fait la connaissance d'une finissante nommée Valérie, avec qui elle joue parfois au billard.

Elle n'a donc pas recroisé Jérémie depuis leur humiliante rencontre le jour de l'Halloween, et c'est tant mieux. Alors, pas question de risquer de le voir à la danse de Noël.

PAS QUESTION !

— Tu n'iras pas juste à cause d'un garçon ? demande Alain en secouant la tête après avoir écouté le récit d'Émily.

173

— C'est pas RIEN. C'est le gars de Piscine Plus.

— Ouiiiin, mais…

— Il a presque VOMI.

— Mais il n'a PAS vomi.

— Non.

Émily a le nez qui plaque en repensant à cette histoire.

— Pourquoi tu ne lui écris pas sur Facebook?

— Ah ouais, super idée! s'exclame Émily d'un ton sarcastique. « Salut, c'est moi la grande de secondaire un qui a BAVÉ l'autre jour. Je voulais juste te dire salut. »

— Je pensais pas à ce genre de message, dit Alain.

— Ah bon? À quoi alors?

— Eh bien, tu pourrais lui demander si son groupe joue à la danse. Du genre: « Vous êtes tellement bons », etc.

« Ce n'est pas bête, pense Émily. Comme ça, j'aurais l'air de m'intéresser à sa musique (ce qui est vrai). Et en plus, ça me permettrait de voir s'il veut encore me parler malgré la… bave. »

— Pas pire, Câlin, pas pire!

— Je suis peut-être vieux, mais j'ai été un gars de quinze ans, moi aussi. Une fille qui nous fait des compliments, ça nous plaît TOUJOURS. Retiens ça! lance Alain en allant accueillir un nouveau client avec son fez sur la tête.

« Et toi, retiens qu'il faut souvent faire le MÉNAGE, se dit Émily en souriant. D'ailleurs, le fez comme look, hum, pas sûre… »

20.

À : Jérémie Granger
Message :

Hé ! C'est Nik. Ça fait longtemps qu'on s'est pas croisés ! Je me demandais si ton groupe allait jouer à la danse de Noël. Vous êtes tellement bons, ce serait le fun.
Bon ben c'est ça. Je voulais savoir.
Salut !

De : Émily Faubert (emilfaubert@hotmail.com)
À : Emma Nolin (emmanolin@hotmail.com)
Objet : Danse de Noël

Va voir la photo de Maud sur Facebook. ☹ C'est pour ça qu'elle a manqué l'école la semaine passée.

Je viens d'écrire à Jérémie pour lui demander si son groupe allait jouer à la danse. J'ai peut-être changé d'idée. Ça te tente-tu d'y aller toi aussi?

De: Emma Nolin (emmanolin@hotmail.com)
À: Émily Faubert (emilfaubert@hotmail.com)
Objet: RE: Danse de Noël

OUIIIIIIIIIIIIIIIIIIIIIIIIIIIIIIIIIIIII je veux y aller!!!!! Les examens vont être finis. Et j'y allais pas juste parce que tu y allais pas. Youpi!!!! On se voit demain. Je mange des verbes irréguliers, beurk. Eat ate HATE! Xx

P.-S.: J'ai vu la photo. J'avoue qu'être photographiée avec Robert Pattinson, ça flashe. C'est le VRAI, tu penses???

À: Émily Faubert
Objet: Des nouvelles de moi

Message:
Salut, Nikki.
Ouin, on a fait la demande au directeur et il a pas voulu. Mais on va jouer à la soirée Amateurs en mai. On espère te voir là.

Jérémie Granger

De : Émily Faubert (emilfaubert@hotmail.com)
À : Emma Nolin (emmanolin@hotmail.com)
CC : Alain Faubert (alain.faubert@yahoo.ca)
Objet : RE : RE : Danse de Noël

JÉRÉMIE M'A RÉPONDU SUR FACEBOOK !!!!
Il avait l'air content que j'aie posé la question !!!!
Son groupe ne jouera pas à Noël mais il va jouer
à la soirée Amateurs. Et il m'a invitée. Youpi !!!

Émily
Xxxxxx
P.-S. : Ben oui, Emma, c'est le VRAI.

De : Alain Faubert (alain.faubert@yahoo.ca)
À : Émily Faubert (emilfaubert@hotmail.com)
Objet : RE : RE : RE : Danse de Noël

Qui est Robert Pattinson ?

21.

— IL EST OÙ, TU PENSES?

— JE NE LE VOIS PAS! hurle Emma en scrutant tout ce qui l'entoure.

Il y a tellement de monde que les deux filles se font bousculer sans arrêt. Et la musique est si forte qu'Emma en a les cheveux qui frisent.

— JE PENSE QU'ON DEVRAIT ALLER SUR LE CÔTÉ POUR VOIR! crie-t-elle en agrippant son amie par le bras.

Émily tire sur sa jupe en marchant. Elle a voulu frapper un grand coup pour cette danse de Noël et ainsi attirer l'attention de Jérémie. Elle a donc choisi une jupe courte en cuir rouge et une camisole noire avec des motifs argentés. L'ensemble était très beau dans la boutique, et il valait une fortune.

Mais maintenant qu'elle le porte devant tout le monde, elle a l'impression d'être couverte de coquerelles. Bien sûr, elle a un look d'enfer. Elle le sait. Elle a laissé ses cheveux longs blonds dans son dos et elle s'est maquillée. Et, franchement, elle a l'air aussi cool que Selena Gomez… en blond.

Une Selena Gomez qui ne serait pas Latina.

«Oh! se désespère souvent Émily. Pourquoi je ne suis pas une Latina?»

Bref, elle était fière de son look tout à l'heure. Mais maintenant qu'elle est à la danse, sous les lumières multicolores, elle s'inquiète. La jupe serait-elle TROP courte?

— Ma jupe est-elle trop courte? demande Émily.

— QU'EST-CE QUE T'AS DIIIIT???

— ON VA ALLER AUX TOILEEEEETTTTES!!!!

— OOOOOKÉÉÉÉÉÉÉÉÉÉÉÉÉ!!!

Les deux filles entrent dans les toilettes en poussant un soupir de soulagement. Elles ont beau aimer la musique, il y a des limites à ce qu'un tympan peut endurer.

— Est-ce que ma jupe est trop courte?

— C'est vrai qu'elle est courte, concède Emma, mais elle est vraiment belle. Surtout avec ta ceinture qui brille. Mais… heu… je pense que tu devrais rester debout, tu sais… Parce que sinon… heu… on voit… heu…

— ON VOIT MES CULOTTES???

— Non non, répond précipitamment Emma. Juste quand tu te penches ou quand tu t'assois. Sinon, non.

— BEN LÀ! TOUT LE MONDE A VU MES CULOTTES???

— NON, je te dis! On les voit pas si tu restes debout. Et tu es restée debout!

— Mais COMMENT tu sais qu'on les voit si je suis pas debout, puisque tu dis que je suis restée debout?

Emma hésite. Elle ne veut pas ruiner la soirée de son amie. En même temps, Émily doit savoir. Pour qu'elle n'ait pas l'air de… Eh bien…

— C'est quand tu as enlevé tes bottes en arrivant. Bon. Mais c'est tout. On les a pas revues après.

«OH… MON… DIEU!»

Qui était là tantôt pendant qu'elle enlevait ses bottes? Personne qu'elle connaisse. OUF. Bon. Des inconnus ont vu sa culotte. Ça pourrait être pire.

— Je vais rester debout toute la soirée! Tu parles d'une belle soirée! Je vais avoir les jambes en compote de pruneaux!

— Mais ça vaut la peine, dit Emma, tentant de se rattraper. Parce que c'est vraiment SUPER MUSTI comme look. Sérieux.

— T'es sûre?

— Oui.

— Ok.

Émily se regarde dans le miroir. Oui, c'est vrai. C'est réussi. Elle a suivi les conseils de madame Gentilly. Et une chose est certaine : ce soir, elle n'a pas du tout l'air d'un petit chien qui saute dans des cerceaux.

Emma, quant à elle... Eh bien, Emma a aussi décidé de se vieillir un peu, mais sans succès. Elle a revêtu une robe qui a malheureusement l'air d'une robe de petite fille. Et le maquillage n'est pas au point non plus. Elle a davantage l'air d'une poupée de porcelaine dans sa boîte que d'une ado qui va à une danse.

— On y retourne?

— Ouais.

Émily suit Emma jusque sur la piste de danse. C'est facile, il lui suffit de ne pas quitter des yeux la (grosse) boucle de tissu mauve que son amie a dans le dos. Une IMMENSE boucle. On dirait qu'Emma est déguisée en cadeau de Noël.

Le décor de la salle est magnifique. La soirée est sur le thème de l'hiver, et quand les lumières stroboscopiques s'allument, tout est blanc et scintillant. Il y a même de la neige artificielle qui tombe du plafond, et des acrobates virevoltent dans les airs au-dessus des danseurs.

Mais la foule est si dense que les deux amies peinent à se frayer un chemin.

— LE VOIS-TUUUUUUUU?

— NOOOOOOOOOOOON!

Elles choisissent de se creuser tant bien que mal un petit trou dans la masse d'élèves et de rester là. Il n'y a pas de place pour bouger les bras et les jambes, alors elles dansent seulement en bougeant le cou et la tête. Émily cherche Jérémie du regard, mais ne le trouve toujours pas.

Emma est véritablement en danger, risquant à tout moment d'être piétinée. Elle est tellement petite que plusieurs ne la voient pas et reculent sur elle en dansant. Mais il FAUT rester là! C'est la danse de Noël, après tout! Et les filles ADORENT les danses de Noël, il paraît.

C'est alors qu'Émily entrevoit Valérie qui danse avec un garçon qu'elle n'a jamais vu. Ils ont une très bonne place pour danser, puisqu'ils sont sur une petite scène surélevée avec d'autres élèves. «C'est LÀ qu'il faut aller!»

Émily prend Emma par la boucle et l'entraîne jusqu'à Valérie.

— SALUUUUUUT!

— SALUUUUUUT!!! lui hurle Valérie en dansant.

— EST-CE QU'ON PEUT VENIR DANSER ICIIIIII?

— QUOIIIIII?

— DANSEEEER!! ICIIIIIIIIIII???

— OH! OUIII!!!

Émily et Emma entrent donc dans le petit groupe en souriant. «AAAAH! BON! Ici on peut danser. Et en plus, on voit bien toute la salle!» Emma donne à Émily un coup de coude et lui montre Maud, quelques mètres plus loin. Celle-ci porte une superbe robe bleue très glamour et a même des brillants dans les cheveux. Elle essaie de danser avec ses amies, mais ne parvient pas à esquisser un geste. Elles sont complètement écrasées. «NA NA.»

Les deux amies dansent très longtemps en s'amusant comme des folles. Elles essaient d'attraper de la fausse neige pour s'en mettre dans les cheveux. Elles réalisent soudain que Valérie et ses amis ne sont plus là. Émily se met à danser en tournant sur place, comme les derviches d'Alain, jusqu'à en être complètement étourdie. Elles éclatent de rire. Puis, épuisées, elles décident d'un commun accord (par signes) de se rendre au comptoir pour prendre une boisson rafraîchissante au gingembre. Mium.

Une fois là, elles découvrent que les organisateurs ont aménagé des espaces plus tranquilles aves des gros divans et des coussins. Plusieurs élèves les ont déjà envahis, mais deux places viennent de se libérer.

— Je ne peux pas m'asseoir, moi! soupire Émily.

— Pourquoi?

— MES CULOTTES!!!

— Ah oui, scuse! Hihihi! Mais, moi, je peux, dit Emma. Et j'ai les pieds en BOUETTE dans mes souliers neufs. Juste quelques minutes, ok?

— Mouais, répond Émily, qui reste debout à côté des divans avec son verre.

Et c'est alors qu'elle l'aperçoit. JÉRÉMIE. Penché vers une fille appuyée au mur. Tous deux discutent. En riant beaucoup. En riant un peu trop au goût d'Émily. On voit bien que Jérémie tente de se rapprocher. Il y a du baiser dans l'air.

— Je ne veux pas voir ça, murmure Émily en continuant pourtant de regarder.

Jérémie porte un jeans vraiment cool et un t-shirt blanc moulant. Et quand il penche la tête pour rire, Émily en a mal au ventre. « Seigneur. C'est donc ça, l'amour? Et qui est donc cette chanceuse en robe bleue?

« EN ROBE BLEUE?

« OH NON!

« OH NOOOON!!!! »

— Oh ouache, fait Emma en regardant Jérémie et Maud s'embrasser.

— Oh, Emma, t'es vraiment bébé…

Mais Émily est dévastée. Un vrai *french*. Sous ses yeux. Et c'est Maud Trahan qui récolte ça ! Émily aurait dû mettre une robe bleue. Elle aurait dû mettre des brillants dans ses cheveux. Elle aurait dû rester dans le petit trou plein de monde au lieu de monter sur la petite scène avec les amis de Valérie. Elle aurait dû ne jamais baver en public avec des fausses dents.

Elle aurait dû…

— Bon ben, Maud sort avec Piscine Plus, lâche Émily en s'écrasant sur le divan, oubliant qu'on risque de voir sa petite culotte.

— Ben non, voyons donc. Tu vas voir. Quand on va revenir des vacances, il la regardera même plus. C'est juste une affaire de party, ça.

— Tu penses ? Jérémie, c'est pas ce genre-là.

— Pfff… Tu verras bien.

— Est-ce qu'on voit mes culottes ?

— Hum, noon. Pas comme ça. Il faudrait vraiment se pencher pour réussir à les voir. Je dirais d'à peu près trente degrés. Même pas, je pense. Trente-cinq ? Quarante ? Attends.

— Ben là, arrête de te pencher !

— Tu veux savoir ou pas ?

— Non non, c'est correct.

Pour Émily, la danse est finie. Elle a envie de rentrer chez elle, de se mettre en pyjama et de regarder des vieux *Camp Rock* toute la soirée.

C'est alors qu'Elton Chung, un gars de leur classe qui porte des broches, s'approche d'elles en les regardant fixement. Émily se rappelle bien son nom (facile à retenir, un nom pareil!), mais elle ne lui a jamais parlé. Bon. Elle pourra toujours se rabattre sur un gars qui a PRESQUE le nom d'un chanteur. Ce sera moins dur pour l'ego.

MAIS NON!

À sa grande surprise, il passe droit devant elle et va voir EMMA.

— Salut, Emma, lance Chung.

— Oh, salut!

— Heu… tu aimes la soirée?

« NON MAIS… JE RÊVE? pense Émily. Chung flirte avec Emma!!

— Ben, genre, répond Emma qui lance des appels au secours en écarquillant exagérément les yeux en direction d'Émily.

« Non, non, se dit cette dernière, vexée. Si Emma avec sa boucle en tissu embrasse un garçon ce soir, je m'immole. »

— Tu veux danser?

— Heu… ben, j'ai les pieds en pâté chinois… heu… hum, je veux dire, tsé, écrapoutis dans mes souliers? Pas que j'aime pas le pâté… heu… hein? Non, non c'est que… heu…

Émily rigole intérieurement. Emma lui envoie tellement de signaux qu'on dirait qu'elle louche. Ses cornées sont sur le point de sécher, tant elle ouvre grand les yeux.

— Ah… heu…, bafouille Chung. C'est pas… heu… grave… heu… tsé. Si t'as pas envie… heu… c'est pas grave.

— Ok. Mais… heu… c'est… heu… gentil.

— Pas de troubles. Hum. Bon. On se voit… heu… en classe de… heu… de physique en janvier. J'ai choisi ça, tsé, moi aussi. Bon. Ben. Salut.

— Salut! répond enfin Émily, alors qu'Emma fronce les sourcils.

— En passant, je suis Coréen, fait-il, sans balbutier cette fois, mais en souriant. Ok, salut.

Emma regarde Émily.

— C'EST MUSTI CHIEN! MUSTI BOA! Tu m'as laissée parler toute seule avec lui!!!

— C'était trop drôle! réplique Émily en s'esclaffant. Un pâté chinois? Mouhahahaha. Vous étiez tellement «pognés», tous les deux. «Ah, heu, hein, tsé, hum.» TRÈS DRÔLE!

— Oh! c'est horrible. J'haïs ça, ces affaires-là!!!

— Ben, je pense qu'il a vraiment un petit *kick*, lui.

— TU PENSES? C'est MUSTI… MALAISANT! s'exclame Emma.

Mais Émily sent bien que son amie, malgré tout, est un peu flattée.

— Bon. Ben, je pense qu'on devrait rentrer, dit Emma. Ma mère m'a donné de l'argent pour un taxi.

— Oui, ok, on rentre, répond Émily.

C'est alors que Maud passe devant elles sans les voir, en compagnie de ses amies. Elle rit tellement fort qu'on l'entend malgré la musique. Et elle n'a plus ses brillants dans les cheveux. Elle a ENCORE l'air cool malgré tout. POURQUOI?!

Émily se tourne alors vers Jérémie qui est maintenant entouré de garçons, dont Grand-Roux et Cheveux-par-en-avant-Breton qui ont l'air très excités. Jérémie, lui, a l'air tout content et regarde partout autour de lui avant de retourner danser.

— Bon. Allez, lâche Émily en se demandant ce qu'aurait fait madame Gentilly à sa place. On s'en va, *dear*.

22.

— Hé! Déjà rentrée?

La mère d'Émily est assise dans le boudoir, devant la télé. Il y a un verre de vin sur la table basse et une boîte de... biscuits au chocolat!

Sa mère mange des biscuits au chocolat?!

— Ouin, la souris danse! dit Émily en lorgnant la boîte ouverte, à portée de main.

— Comme tu vois! répond Annick en éclatant de rire. Viens avec moi. On va se faire une orgie de biscuits. Je pense que, toi aussi, tu as eu une soirée qui demande des biscuits, non?

Émily ne se fait pas prier. Après la pénible soirée qu'elle vient de passer, elle est aux anges de trouver sa mère à la maison. Et de la trouver en train de MANGER DES BISCUITS au lieu de travailler, en plus! Elle saute sur le divan à côté d'elle et plonge la main dans le sac.

— C'était… AFFREUX, lance Émily avant d'enfourner une poignée de biscuits.

« Ouach, trop sucré, trop d'un coup ! » C'en est trop, Émily éclate en sanglots avant même d'avoir avalé sa bouchée. « Beurk. »

— Ben voyons, ma loulou ! s'écrie Annick. Qu'est-ce qui se passe ?

— Riiiiieeeeennnnn ! fait Émily en déglutissant.

— Est-ce que je peux te prendre dans mes bras ? demande Annick, faisant ainsi allusion au code établi entre elles quelques mois plus tôt : plus de câlins, seulement un bisou sur la tête.

— Ouiiiiii tuuu peuuuuuuux, répond Émily en se collant contre sa mère.

Il y a des moments où on a le droit. Des moments comme aujourd'hui, où les robes bleues sont vraiment trop bleues.

— Veux-tu me raconter ce qui s'est passé ? lance Annick une fois qu'Émily semble avoir repris le dessus.

— Oh. (Snif.) C'est vraiment épouvantable. (Snif.) Il a embrassé Maud Trahan. (Snif.)

Émily sait très bien que sa mère ne sait pas qui est ce « il », ni qui est Maud Trahan. Mais une mère, c'est tellement magique que ça comprend tout, même quand ça ne sait rien. Et même quand ça travaille trop. Alors bon.

— Oh, je vois.

— Elle était en bleu. (Snif.)

— Et toi en rouge.

— C'est çaaaaa. (Snif.) Pourquoi j'ai décidé d'être en rouge ? (Snif.)

— Parce que tu aimes le rouge. Parce que tu es rouge. Tu n'es pas bleue. Tu n'as jamais été bleue.

Cette conversation complètement absurde rassure pourtant Émily. C'est vrai. Elle aimait son look, ce soir. Elle sait très bien qu'au fond ce n'est pas une question de look du tout. La preuve ? Emma, sa boucle et son Chung. Mais ça fait mal quand même.

— Pauvre loulou… Et Marie-Pier ? Qu'est devenue Marie-Pier ? On la croisait tout le temps, elle habitait presque ici, elle ! Vous vous êtes disputées ?

— Ouiiiiiiiiiiiiiiiiiiiiiiiiiiiiiiiiiiiiiiiiiii. (Snif.)

— Pourquoi ?

Émily a envie de crier à sa mère que c'est SA FAUTE. Que si Marie-Pier et elle étaient allées à la même école, elles seraient toujours amies. Que si elle n'était pas allée au pensionnat Saint-Prout, elle n'aurait pas perdu Marie-Pier, elle n'aurait jamais croisé Jérémie, elle n'aurait jamais connu Maud Trahan, elle n'aurait jamais porté de fausses dents.

Mais elle n'aurait jamais rencontré Emma. Et n'aurait jamais pensé qu'elle avait du talent pour chanter. Et n'aurait donc jamais contacté son oncle pour renouer avec ses racines musicales. Et n'aurait jamais pris de cours de chant.

« Ouin… »

— C'est compliqué, se contente de répondre Émily.

Annick prend un autre biscuit. Sur l'écran plat de la télévision, les personnages réduits au silence de la série *Dr Grey* s'excitent autour d'une civière. Émily n'a jamais compris l'intérêt de regarder des émissions qui se déroulent dans un hôpital. « Franchement, c'est déjà assez pénible comme ça quand on y va POUR VRAI ! »

— Toi, pourquoi tu manges des biscuits ? demande Émily.

— Eh bien, disons que c'était pas facile au palais de justice aujourd'hui.

— Pas facile ?

— Du genre « je n'aime pas du tout défendre ce client » ?

— Ah ouais, ok.

Émily sait que sa mère n'a pas le droit de parler de ses procès, et encore moins de ses clients. Elle sait aussi qu'Annick N'AIME PAS le faire. « C'est drôle, se dit Émily. Au fond, on est pareilles. On n'aime pas parler de nos affaires. Il faudrait que ça change. »

— Je vois Câlin des fois, glisse-t-elle pour changer de sujet.

— Je sais! répond Annick en souriant.

« Non mais, DES FOIS, c'est vraiment énervant que les mères sachent tout!!!» songe Émily.

— En fait, je m'en doutais, poursuit Annick en voyant l'air surpris de sa fille. Il va bien?

— Oui, répond Émily. Emma et moi, on l'aide avec sa boutique. Tu pourrais peut-être venir avec nous une fois? demande-t-elle avec espoir.

— Heu… non, je pense pas, Émily. Mais je suis contente que, toi, tu y ailles.

— Ton travail?

— Oui, mon travail. Mais surtout…

— La chicane, hein?

— Oui, c'est ça. La chicane.

— Il m'en parle jamais, tsé!

— C'est bien comme ça.

— Et puis, tu sais, je rentre un peu plus tard tous les vendredis. Parce que je prends des cours de chant! s'exclame Émily, soudainement excitée à l'idée de parler de ce qu'elle aime avec sa mère.

— Ah oui?!!!

— OUI!!!!!! Avec madame Gentilly. Un ancien professeur de Câlin. Elle est teeeeellement bête! C'est fou! Mais on dirait qu'elle est teeeellement bête qu'elle en devient drôle!

— Ah bon ? fait Annick, intéressée.

— Elle m'apprend toutes sortes de choses. Elle m'explique ce que je fais quand je chante. Elle m'apprend à respirer. Elle m'a dit que… que…

— Que ?

— Que j'étais parfois comme un petit chien savant. Qui saute dans des cerceaux, dit Émily qui sent de nouveau son menton trembler. « Maudit menton ! »

— Aaaaah. C'est vrai qu'elle est bête, elle !

— Elle me trouve trop PROPRE.

— Propre ? répète Annick en fronçant les sourcils.

— Oui. C'est ce qu'elle a dit.

— Ouin, ben, je suis pas sûre de l'aimer beaucoup, moi, elle !

— Non non, elle est super ! SUPER ! Seulement, elle trouve que je suis trop… que ma tresse est trop tressée, ce genre de choses. Je veux dire : quand j'ai une tresse !

— Je trouve ta tresse PARFAITE !

— TU VOIS ? TOI AUSSI, TU TROUVES QUE J'AI L'AIR D'UN PETIT CHIEN SAVANT PARFAIT !

— Elle veut peut-être parler du fait que tu es… privilégiée. Tu vois ? Que tu vis dans un monde protégé. Une bulle. Mais, moi, je te trouve chanceuse, au contraire, de vivre comme ça.

Émily ne répond rien. Bien sûr, depuis qu'elle est amie avec Emma, elle voit que la richesse a beaucoup d'avantages. Elle admire d'ailleurs son amie parce qu'elle parvient à être ce qu'elle est, malgré les difficultés financières de sa famille. Mais elle sait que ce n'est pas uniquement de ça que parle madame Gentilly. Or, elle ne va quand même pas dire à sa MÈRE que sa prof de chant lui a demandé d'être moins SAGE ! Elle se cale donc profondément dans le divan (au diable la culotte !) pour regarder la télé elle aussi.

Et puis, faut-il réellement être moins sage pour être une bonne chanteuse ?

Émily ne sait plus. Si elle avait été moins sage, aurait-elle obtenu le baiser de Jérémie ? Peut-être…

23.

J'ai perdu la direction et le sens.
Je ne sais pas tenir la distance.
— Amel Bent, Le droit à l'erreur

— Jérémie a été SUSPENDU!

— QUOI?! s'écrie Émily, assise à la caféteria en face d'Emma.

— OUI!!! Je l'ai su parce que j'ai entendu Francis Breton le dire à l'autre, là, le roux. Ils riaient tous les deux dans les cases ce matin. Il a été surpris à faire des «cochonneries» dans le local de répète!

— NON!!

— OUI!!!

— Des «cochonneries»? répète Émily tout bas.

— OUI!!! Et puis, c'est pas avec Maud certain, lâche Emma avec un clin d'œil.

C'est vrai. Emma a raison. Depuis le retour des vacances de Noël, Maud est d'une humeur maussade. De plus, elle ne mange pas DU TOUT à la table de Jérémie. Pire, on dirait que Jérémie la fuit. Elle en fait presque pitié.

« Heu… non.

« Quand même pas.

« Elle a eu ce qu'elle méritait, non ? »

Hum. Émily ne sait plus trop. Elle avait tout de même souhaité être celle que Jérémie embrasse à la danse… « Oh, c'est telllllement compliqué, être une fille ! »

— Il est suspendu pour TOUJOURS ? demande Émily avec appréhension.

— Ben non, je pense pas. Probablement pour une semaine. Mais c'est très grave quand même, être suspendu.

— Ben là, exagère pas.

— Eh bien, c'est ce qui arrive quand on fait le *twit*.

Émily sourit. Emma déteste Jérémie, c'est évident depuis des mois. Mais, habituellement, elle essaie de le détester discrètement pour éviter d'embarrasser son amie. Or, Emma est SCAN-DA-LI-SÉE.

— Hé, regarde, c'est le nouveau, dit Émily en montrant un garçon assez grand qui s'assoit seul à une table avec son plateau.

Bon, « assez grand », ça veut dire qu'il a quelques centimètres de moins qu'Émily.

« Il doit m'arriver au milieu du front, se réjouit-elle. Pour un secondaire 1, c'est EXTRA. »

— Oui! Il était dans mon cours de maths enrichies ce matin. C'est quoi, l'idée d'arriver en milieu d'année? Il était dans le Sud ou quoi? Tu as vu son teint!?!

— Il faisait peut-être du surf?

— Un sportif en vacances? Un adepte des salons de bronzage? Un *freak* de la mélatonine?

— Je trouve que tu devrais carrément l'approcher en lui posant la question sur le même ton, blague Émily.

— Hahaha!

— On devrait l'inviter à notre table, ce serait gentil.

Émily attire le regard du nouveau et lui fait signe de se joindre à elles. Celui-ci regarde à droite et à gauche, semble hésiter, puis se lève len-te-ment et marche nonchalamment vers elles en regardant le plancher.

— Ben, il est donc ben poche, lui! S'il a quelque chose de mieux à faire que de venir s'asseoir avec nous, qu'il vienne pas pantoute! murmure Emma.

Le « nouveau » finit par atteindre leur table et dépose son plateau tranquillement avant de s'asseoir. Il a un air détaché qui pique Émily.

Non mais, c'est vrai, elles sont gentilles de l'avoir invité, alors quoi?

— Heu… salut. C'est William, c'est ça?

— Oui, répond le garçon avant de se concentrer sur sa boîte de jus de fruits.

— Tu es nouveau?

— Oui, fait-il en regardant toujours sa boîte de jus.

«Qu'est-ce qu'elle a, cette boîte de jus?!» se dit Émily.

— Tu aimes ça, ici?

— Ouais.

«Encore la boîte de jus?»

— Tu as quoi comme cours?

— Ordinaire.

«Toujours la boîte de jus?»

— Eh ben, cool…

— Ouais.

«Mais lâche cette boîte de jus!»

— Eh ben! lance Emma. C'est SUPER MUSTI TRIPANT de te connaître.

— Heu… où étais-tu en début d'année? demande Émily.

— Los Angeles, jette William en regardant maintenant la paille de sa boîte de jus.

— Wow! s'exclame Émily. Comment ça? À cause de tes parents?

— Mon père, oui, précise-t-il en regardant le papier de la paille de la boîte de jus.

— Wow! répète Émily. C'est pour ça que tu es bronzé?

— Ouais.

— La plage?

— Le surf.

— POUR VRAI?!!

— Ouais.

Émily et Emma se regardent en souriant.

— Cool! dit Émily. On faisait des blagues tantôt en se demandant pourquoi tu étais bronzé. Tu fais vraiment du surf? Wow. Ça doit être tellement le fun!!!

— Han han.

Mais William ne relance pas et il commence à manger. Émily et Emma se regardent, mal à l'aise, en se faisant de drôles d'airs.

— Tu ne veux pas savoir nos noms? demande Émily.

— Ok.

— Ah ben, eille, ça va faire, les monosyllabes! lâche Emma. Qui que quoi dont où? Mais où et donc car ni or? Peux-tu dire autre chose que des conjonctions? Des sujets, des verbes pis des compléments, ça existe, tsé.

Émily pouffe de rire.

— On t'a invité à notre table pour pas que tu manges tout seul le jour de ton arrivée, poursuit Emma. Mais si t'es pas capable de nous accorder au moins UNE phrase complète, ben, retourne tripoter ta boîte de jus tout seul. On se passera très bien de ta pigmentation. Fort jolie d'ailleurs. Mais pas très jasante.

William écarquille les yeux et… éclate de rire. Il regarde Émily qui se sent plaquer du nez, et puis tourne à nouveau ses yeux vers Emma.

— Excuse, fait-il en réprimant un autre rire. T'es vraiment drôle !

— Wouhouuuu, une phrase ! se réjouit Émily.

— Une phrase ! répète Emma en souriant.

— Je suis pas ben ben jaseux, dit encore William en plantant ses yeux verts dans ceux d'Emma.

— On avait remarqué.

— J'aime pas vraiment ça.

— Ok, c'est correct, intervient Émily qui commence à aimer la franchise du nouveau. On va respecter ça. Tsé, on voulait juste être gentilles. Mais si t'es gêné…

— C'est pas ça. Parler, c'est juste pas mon affaire, précise William avec un sourire.

« Tiens tiens, il est mignon quand il sourit », pense Émily.

— D'accord, Will. On te laisse tranquille avec ta boîte de jus.

— C'est ok, déclare-t-il en souriant (ce qui lui donne deux fossettes) avant de retourner à son assiette.

— Bon, je te fais un résumé de notre conversation ? lui demande Émily.

— Ok, répond William en triturant cette fois sa serviette de table.

— Juste pour pas que tu sois trop perdu.

— C'est beau, assure-t-il en triturant encore sa serviette de table.

— Alors, Emma ici présente est fâchée contre moi parce que je ne trouve pas ça si ÉPOUVANTABLE d'être suspendu.

— Je suis pas fâchée !

— Ben oui, un peu.

— Mais C'EST épouvantable d'être suspendu !!!

— Tu vois, Will ?

— Vous êtes suspendues ? dit William en lâchant ENFIN la serviette de table.

— NON, font en chœur Émily et Emma.

— Non, c'est l'ami de madame qui est suspendu, explique Emma en faisant une grimace rigolote.

— Un gars de secondaire 3 qui n'est pas vraiment mon ami, mais qui fait de la musique. Et puisque je fais de la musique moi aussi…

— T'es musicienne ? lance William, intéressé.

— Ben, c'est-à-dire que…

— OUI, affirme Emma, elle chante divinement bien.

— Et tu as un groupe?

— Wow wow wow, trop de mots d'un coup, le taquine Emma. Attends, répète? J'ai eu de la difficulté à te suivre, Will.

— Le gars de secondaire 3, lui, il en a un, mais moi… heu… non, j'ai pas de groupe, répond Émily. Mais ça m'empêche pas de chanter. Je prends des cours, poursuit-elle maladroitement.

Émily est gênée. Elle n'a pas de groupe, donc elle n'est PAS une vraie chanteuse. Mais William, au contraire, a l'air tout content.

— On pourrait faire de la musique ensemble, propose-t-il, soudainement excité.

— COOL! s'exclame Émily, sur le bout de sa chaise.

— Bon bon bon, il y a deux minutes tu voulais rester tout seul dans ton coin, pas d'ami, et là tu es en train de fonder un groupe? lâche Emma avec un clin d'œil.

— HAHAHAHA! Ben oui!

— Tu joues quoi?

— De la batterie.

— WOW!

— Mais d'autres choses aussi.

— D'autres choses comme dans « d'autres instruments »?

— C'est ça.

— Coooooool.

— Est-ce que tu joues par oreille? demande Emma.

— Ouais.

— Moi aussi, j'ai une bonne oreille, déclare Émily. En tout cas, il paraît.

— Un oreille bionique, tu veux dire! lance Emma. Elle entend le *pitch*.

— Ah ouais?

— Genre, dit Émily.

— Oh oh, la monosyllabie est une maladie contagieuse, blague Emma. Émily, tu es infectée!!! AUX ABRIS! Sauvons les phrases en voie d'extinction!

— Hahahahaha!

Emma montre discrètement le nez d'Émily. «Ben oui, ben oui, songe Émily. Je le SAIS qu'il plaque.»

— Emma est musicienne aussi, fait alors Émily pour chasser le malaise que lui cause la rougeur de son nez.

— Ah oui?

— Ah oui? répète Emma en haussant un sourcil. Je savais pas ça.

— Ben oui, tu chantes!

— Et tu joues? demande William.

— De la casserole. Parfois du stylo, répond Emma.

— Elle blague, lâche Émily.

— Ben quoi, tu chantes bien dans une brosse à cheveux, toi !

Émily connaît maintenant assez Emma pour savoir qu'elle aussi aime le nouveau, avec ses fossettes, ses « ouais, ok, correct ». Et sa paille de boîte de jus.

« Un trio REDOUTABLE, se dit Émily en souriant. Et qui fera de l'EXCELLENTE musique. »

24.

— Tu vois, c'est ici que je compose.

Alain a invité Émily chez lui, dans son petit salon (heu… le dépotoir?) transformé en studio (heu… l'annexe du dépotoir?). Son ordinateur est relié à un clavier électrique. Sur l'écran, ce ne sont pas des portées comme sur les feuilles de chez madame Gentilly, mais… des graphiques! Comme les dessins d'un électrocardiogramme, ce test qu'on passe pour le cœur.

— Comment ça se fait que ce sont des graphiques qui s'affichent sur l'écran, quand tu joues, et non pas des notes? demande Émily.

— Parce que c'est encore plus précis avec des graphiques, répond Alain.

Il porte cette fois-ci une espèce de robe africaine, qu'Émily trouve AFFREUSE.

— Ce sont des graphiques de fréquences, poursuit-il. Comme ça, je peux voir ENTRE deux notes.

Les fréquences. C'est ce dont Emma a parlé un jour, en lui expliquant ce que sont des harmonies. Émily trouve ça bien compliqué. Elle déteste les mathématiques. Si la musique, c'est des mathématiques, elle n'est pas certaine de vouloir continuer à apprendre à la lire.

Pourtant, madame Gentilly a été formelle. « Maintenant, tu DOIS apprendre à lire la musique, *dear*. » Émily trouve ça ENNUYEUSEMENT PLATE. Elle fait ses exercices de solfège la mort dans l'âme en se disant qu'elle le fait pour plaire à son professeur.

— Tu n'as pas l'air contente, dit Alain qui a entendu sa nièce soupirer.

— Oh, c'est à cause de ta robe, blague Émily.

— Hé ! C'est un boubou, tu sauras. Ça ressemble à la djellaba arabe. Mais, celui-là, il est africain.

— Jello ou pas, c'est BIZARRE, Câlin. Tu es en ROBE.

— Mais c'est une robe d'homme !!! Un boubou !

— Un boubou ?

— Oui, c'est le costume traditionnel du marabout !

— Un boubou marabout ???

— Un grand prêtre africain, si tu veux. Je l'ai acheté à un VRAI marabout !

— Pffff. Tu es allé à une messe de boubou ?

— En quelque sorte…

— Non, mon problème, c'est que depuis que j'apprends à lire la musique, on dirait que j'ai moins de plaisir, avoue-t-elle. J'aime pas ça, avoir à SUIVRE une feuille de musique. J'avais pas besoin de ça pour chanter ! Pis là, en plus, tu me parles de fréquences. On dirait des sciences ! Pis moi, je suis poche en sciences.

— Apprendre à lire la musique, c'est vrai que c'est un peu ennuyeux. Surtout quand on a de l'oreille. Parce qu'on a l'impression de ne pas avoir besoin de lire. On retient tout par cœur.

— C'EST EXACTEMENT ÇA !

— Je comprends. C'est un peu pour ça que j'ai arrêté.

— Parce que tu trouvais ça plate ? ? ?

— Non. Parce qu'après avoir tout appris ça, je me suis rendu compte que ça n'avait servi à rien. Des gnoufs qui ne savaient rien de la musique devenaient des musiciens connus, alors que moi, j'étais tout seul dans mon coin. C'est ça, l'ordinateur. Ça permet à tout le monde de devenir un peu musicien.

— Des gnoufs ?

— Des imbéciles. Des tarés. Des idiots. Tsé.

— Ouais.

Émily pense au programme gratuit sur Internet que lui a montré William sur son cellulaire pendant la récré. Un programme qui lui permet de faire jouer toutes sortes de rythmes différents préenregistrés. Plus besoin de composer. Il suffit de mélanger des rythmes déjà faits. Comme le font les DJ.

— Mon ami, il est batteur, dit Émily. Il est découragé lui aussi de ce genre de programmes de gnoufs.

— Je le comprends. C'est encore pire pour les batteurs. Pauvres eux.

— Mais pourquoi madame Gentilly veut que je lise la musique, alors?

— Je pense qu'Ann croit beaucoup en toi. Elle pense que tu peux vraiment réussir dans ce métier.

— AH OUI???

— Bien oui! Pourquoi tu penses qu'elle te donne des leçons? Ann est vieille. Il y a long-temps qu'elle est à la retraite. Elle te donne des leçons uniquement pour le plaisir. Parce qu'elle trouve que tu as un réel talent. C'est son unique motivation!

Émily est troublée. Elle n'avait jamais vu les choses sous cet angle. Pour elle, madame Gentilly faisait l'effort de la supporter.

« C'est vrai, songe-t-elle. J'ai toujours l'air de la déranger ou de la décevoir. »

La décevoir ?

Oui, c'est sans doute ça. Émily pourrait être encore meilleure. Plus concentrée. Elle doit dorénavant être à la hauteur des attentes de son professeur. « Ok, se dit-elle. Ok, *dear*, au prochain cours, je t'impressionne ! »

— Ok, parle-moi de ces fréquences, lance Émily.

Alain réprime un sourire. Il a réussi à convaincre sa nièce. Il se penche sur le clavier et Émily a peur pendant un instant que les longues manches de la djellamachinboubou restent coincées dans les touches.

— Eh bien, tu vois, quand je joue, les fréquences s'affichent sur l'écran de l'ordinateur qui, lui, les enregistre. Ensuite, avec la souris, je peux aller modifier les fréquences. Les couper, les répéter, les souligner pour qu'elles soient plus rapides, plus lentes, etc.

— Comme si tu faisais du bricolage, finalement.

— Oui, c'est ça. Du bricolage de sons. Et puis, j'ajoute des couches. Par-dessus le piano, je mets du tambour. Et par-dessus, je mets des clochettes. Et par-dessus, je mets un son de « piout piout ».

— Hahahahaha !

— Je peux ajouter tout ce que je veux.

— Je commence à comprendre.

— C'est ça, de l'orchestration. Je joue à l'orchestre. Seulement, dans mon orchestre, il n'y a pas que des instruments. Il y a des sons aussi.

— Tu pourrais donc mettre ma voix.

— Oui.

— Avec le son de « piout piout ».

— Oui.

Émily a compris. C'est GÉNIAL. Elle a hâte d'en parler à Emma et à William. Peut-être que celui-ci a déjà ce genre de programme, puisqu'il a l'air de connaître ça un peu. Et ainsi, à trois, ils pourraient créer tout un orchestre… un orchestre rigolo, avec toutes sortes de sons bizarres. Mais aussi un orchestre avec une voix. La sienne.

Or, avant, il faut comprendre les maudites fréquences. Ça, c'est le rayon d'Emma.

C'est alors que le regard d'Émily se pose sur une drôle de petite sculpture au milieu des livres de la bibliothèque empoussiérée. « On dirait… Non… ça se peut pas ! On dirait… une crotte ? »

— Heu… Alain ? C'est pas une crotte, hein, ça ?

— OUI ! répond fièrement Alain en allant la chercher pour que sa nièce puisse l'observer de près.

Il s'agit effectivement d'une petite crotte montée sur un socle et recouverte de vernis. «DE VERNIS!!»

— C'est du CACA?

— Oui. Mais pas n'importe quel caca.

— Hé ho, attends une minute, là. Ce serait le caca de Taylor Lautner, ce serait dégueulasse pareil! QU'EST-CE QUE TU FAIS AVEC DU CACA? Verni en plus?

— C'est du caca de carcajou!

— Hahahaha! On dirait une phrase de Loco Locass. Ducacadecarcajou ducacadecarcajou.

— Le carcajou, c'est un animal très très rare qu'on trouve dans le nord du Québec. Il n'y a pas grand monde qui a déjà réussi à en voir un! Mais c'est l'animal le plus dangereux du pays. Le prédateur numéro un.

— Ben voyons! C'est pas le grizzli?

— Eh non, jeune fille, c'est le carcajou. Il tue le grizzli en moins de deux. C'est un animal plutôt petit, mais qui se cache dans les arbres. Et quand il voit une proie, il lui saute au cou. Et lui coupe la jugulaire. Crounch.

— Arrrk, dégueu! Arrête!!!

— Mais c'est vrai!!!

— Et que fais-tu avec une crotte de carcajou?

— Je l'ai TROUVÉE! Pendant une randonnée dans la baie d'Ungava. Elle était gelée, c'était facile de la rapporter. Et je l'ai vernie en revenant pour ne pas qu'elle s'effrite.

— POUARK!!!

— Tu comprends pas. C'est une vraie crotte de carcajou!

— Encore heureux que tu aies pas essayé de la vendre!

— Ben…

— Nooooon!?

— Ouin. Mais finalement je l'ai rapportée à la maison. En fait, j'avais peur que quelqu'un la veuille.

« Pas de danger, se dit Émily. Une crotte!» Elle soupire.

25.

Emma arrive dans le salon de récré tout excitée.

— J'ai la feuille des clubs! crie-t-elle à Émily et à William qui sont assis devant une des PlayStation de l'école.

— Ah oui? Fais voir!

Les élèves de première secondaire attendaient avec impatience la troisième étape pour avoir enfin le droit de s'inscrire aux clubs. Le hibou leur avait dit d'être patients mais, en fait, c'était uniquement pour vérifier si leurs notes étaient assez bonnes pour qu'ils puissent poursuivre leurs études au pensionnat Saint-Prout.

Émily a eu de très bonnes notes dans presque toutes les matières («Sauf en gymnastique artistique, sacré Biceps-Triceps!») et Emma a eu pratiquement 100 % partout («Sauf en tendance mode, hahaha!»).

— «Les clubs du premier cycle (secondaires 1-2-3) de Saint-Prout ont lieu dans des endroits secrets de l'école, mais sont sous la supervision du directeur d'études», lit Emma à voix haute, entourée d'Émily et de William.

— Ils doivent se réserver le droit de faire des choses en «dehors» des règles, en cachette, ajoute Émily. Parce que tous les membres du club de politique de la dernière étape se sont ramassés dans le bureau du directeur!

— «Chaque club est dirigé par un élève habituellement choisi parmi les plus vieux, poursuit Emma en parcourant la feuille. On l'appelle alors le préfet.» Mon Dieu, c'est bien pompeux! Préfet! C'est pas ça, un préfet! Il me semble que c'est le titre d'un membre préfectoral français, dit-elle en tâtant son carnet dans la poche de son cardigan.

— ON S'EN FOUT, EMMA, répondent William et Émily. CONTINUE.

— Non, mais c'est vrai. Hé! Jérémie a perdu son privilège à cause de sa suspension parce que c'est un certain Michael Pomerleau qui a pris sa place comme préfet... Hahahaha! comme préfet d'impro, à ce que je peux voir.

— Montre!!! lance Émily.

C'est vrai. Son nom a été rayé et remplacé par celui de ce Pomerleau. Qui est Pomerleau? « Tu parles d'un nom. Pomerleau. Poche Pomerleau. »

— Mais il sera sûrement inscrit comme membre du club, déclare Émily en redonnant la feuille à Emma. Parce que c'est la vedette de l'école et que le club d'improvisation ne voudra pas se passer de lui.

— Ça a l'air d'être quelqu'un, lui! fait William en creusant ses fossettes exagérément et en battant des cils pour se moquer.

— Oh non, pas tant que ça, assure Emma.

Depuis le début de l'étape, Emma a remarqué que les filles ont plutôt l'air de vouloir tourner autour du nouveau comme des abeilles autour d'un pot de miel. Son côté taciturne et sa forme physique (vive le surf!) semblent en impressionner plus d'une. Émily et Emma ont d'ailleurs vu leurs demandes d'amitié Facebook EXPLOSER, et Emma trouve ça plutôt louche. Même Boa a tenté un rapprochement la semaine dernière. BOA!!!

Or, William ne voit rien. Et Émily est tellement « jérémiée » qu'elle ne remarque rien non plus.

Emma cherche Elton Chung des yeux. Et le voit au fond de la salle, derrière un ordinateur. Il lève les yeux vers elle et esquisse un sourire métallisé. Elle repose les yeux sur la liste des clubs. Elle pousse soudainement un cri en sautant sur place.

— Il y a un club de mathématiques! Il y a un club de mathématiques!

— WOW! s'exclame ironiquement Émily. Le club des *nerds*. Ça va être vraiment FORMIDABLE.

— C'est sûr!!! répond sérieusement Emma, ce qui fait sourire William.

— Il n'y a pas de club de musique, se désole Émily en parcourant une deuxième fois la liste du regard.

— T'es certaine?

— Ben oui. Il y a impro, MATHÉMATIQUES, escrime, arts visuels, échecs et Génies en herbe.

— OH! MUSTI COOL!!!

— Non, il n'y a PAS MUSIQUE!!!

— Je vais être obligée de choisir entre mathématiques, échecs et Génies en herbe? se lamente Emma.

— Qu'est-ce qu'on va faire? demande Émily.

— Il me semble que c'est impossible qu'il n'y ait pas de clubs de musique, dit Emma.

— Ça doit être à cause de l'orchestre Saint-Prout, lance William.

— Ah oui! fait Emma. Les musiciens sont tous dans l'orchestre officiel du pensionnat.

— J'ai VRAIMENT pas envie d'aller jouer avec eux des marches militaires dans les parades, marmonne Émily.

— Eurk!!! lâche William.

— Avec des bâtons de majorette!

— Eurk!

— Et des bottes à clochettes!

Emma regarde, fascinée, la feuille devant elle. Elle a le sourire aux lèvres, on dirait qu'elle a reçu un coup sur la tête comme dans les dessins animés. Elle a presque des spirales à la place des iris.

— JE CAPOTE!

— C'est super, Emma, dit Émily en souriant à son amie.

— Tu n'as qu'à prendre les mêmes clubs que moi. Au moins, on sera ensemble! Dioui dioui dioui dioui!

— Heu… ES-TU FOLLE? Me vois-tu sincèrement dans le club de mathématiques? Ou dans celui d'échecs? Je m'endors toujours après le premier coup. C'est teeeeellement long, jouer à ça. Et puis, Génies en herbe, ben… tu le sais, je suis pas ben ben bonne dans ces affaires-là. Tsé, Apollo 12 pis toute…

— Apollo 12? demande William.

— Oui, c'est une blague entre nous, répond Emma en riant.

— Tu vois, je serais vraiment nulle.

— Ouin…

William semble moins déçu qu'Émily.

— Moi, je vais prendre escrime, je pense.

— Ah ouin?

— Ben, j'en ai déjà fait.

— Je pourrais prendre escrime avec toi…

— C'est une bonne idée!

— Peut-être.

Mais Émily n'en est pas certaine DU TOUT. L'escrime, c'est pas le jeu d'épées où on est électrifié et relié à des fils? Brr. C'est pas dangereux, ça?

— Je vais y penser. On a jusqu'à quand pour s'inscrire?

— On a toute la semaine, dit Emma. Mais, moi, j'ai envie d'y courir tout de suite!!! Allez, Émily! Prends-en un avec moi!

Émily soupire. Si elle pouvait avoir l'enthousiasme de son amie!

— Je pourrais prendre Génies en herbe avec toi SI TU PRENDS IMPRO AVEC MOI.

— MUSTI BOA!!! Je pourrai jamais faire de l'impro, je vais être MUSTI poche.

— C'est à prendre ou à laisser.

— Heu… vous pourriez prendre escrime avec moi? glisse William.

— NON! répondent-elles en chœur.

— Oh, s'il te plaît, Émilyyyyyyyyyy, fait Emma.

— Prends impro.

— Noooooon.

— Impro.

— Noooooon.

— Im-pro.

— Hum…

— Allez…

— OK. Mais je T'INTERDIS DE RIRE DE MOI. JAMAIS.

— PROMIS, affirme Émily avec une main sur le cœur. Mais, toi, tu vas m'aider dans ton truc de génies, là. Parce que je suis pas géniale comme toi, moi.

— OK!!!

— Bon, et moi? lance William d'un air déconfit. Je vais être seul dans mon club?

— Oh, pauvre petit chou, dit Emma. N'était-ce pas ce que tu souhaitais, être seul dans ce monde cruel?

William éclate de rire. Émily ne peut s'empêcher d'avoir un petit frisson. Elle sera dans le même club que Jérémie.

26.

— Ok, fait Emma. La fréquence désigne en général la mesure du nombre de fois qu'un phénomène périodique se reproduit par unité de temps.

Émily, William et Emma sont assis devant un poulet au beurre («Triple mium!») avec le iPad d'Émily. Ils ont décidé de passer leur semaine de relâche ensemble à tenter de comprendre le programme de musique d'Alain.

— C'est écœurant, ce poulet-là! déclare William en se léchant les doigts.

— Je te l'avais dit! dit Emma. C'est MUSTI délicieux. Bon. On parle donc de fréquences temporelles en opposition avec les fréquences spatiales.

— C'est PLAAAAAATE. Je veux des pi-nooooootttes! rigole Émily qui fait toujours

227

cette blague quand Emma part dans un autre monde, celui des *nerds*... heu... des INTELLOS.

— Vraiment bon, ce poulet, continue William en dévorant son plat.

— Hé! Je fais ça pour vous, moi! Pour votre musique! M'écoutez-vous?

— Ben oui, ben oui. Les navettes spatiales. C'est quoi, le rapport avec la musique?

— Pas les NAVETTES! Les FRÉQUENCES. En musique, c'est la hauteur du son. Et ça se calcule en hertz.

— C'est hertzement bon, affirme William en engouffrant un autre morceau de poulet.

— Hahahahahaha!

— Bon, je continue ou pas? demande Emma en fermant son petit carnet.

— Oui oui.

— Bon. La note de référence est un *la*. Un *la* calculé de 440 hertz. Et c'est justement une affaire de hertz qui t'accroche l'oreille, Émily.

— Ah là là! s'esclaffe Émily. La comprends-tu? Ah LÀ LÀ. Un *LA*. Pouahahahaha!

— Mium mium, continue William.

— Bon, j'arrête, fait Emma.

— Non non, ok, c'est moi qui arrête. Attends, tu as parlé de m'accrocher l'oreille. Tu veux dire... comme dans le local de répète avant Noël?

— OUI!!!

— Ce serait une affaire de… heu… hertz?

— Oui. Tu entendrais mieux les écarts de hertz que la moyenne des gens.

— Hé? As-tu l'oreille absolue? demande William en arrêtant momentanément de dévorer son poulet.

— Tu connais ça?

— Ben oui! C'est un genre de don, dit-il en retournant à son assiette.

— Je sais pas en fait. Mon oncle a cette… heu… oreille parfaite.

— Absolue, la corrige Emma.

— Absolue, d'abord. Mais moi, je sais pas si j'en ai une… Hé!

— Quoi?

— Emma!!! Au début de l'année, tu m'as dit que j'avais un problème d'oreille. Te souviens-tu?

— Non…

— OUI!!! Sur la poutre. Tu m'as dit que mon vertige, c'était un problème d'oreille.

— Ah oui!

— Ben, tu vois?

— Quoi?

— C'est peut-être à cause de la super oreille… heu… absolue, que j'ai le vertige!!!!

— Hum.

— Non?

— Je sais pas.

— J'ai peut-être vraiment l'oreille absolue moi aussi, comme mon oncle. Je plaque du nez comme lui. On a les mêmes gènes !

— Ce serait cool, dit William.

— Ouais, confirme Emma.

— Comment on fait pour savoir ? lance Émily.

— Il faudrait que tu demandes à ta prof, répond son amie.

— Oh, mon Dieu. Elle est tellement bête. Je me vois mal aborder un sujet, n'importe lequel, avec elle.

— Tu en as peur ?

— Non, mais…

— Demande-lui, insiste William. Tu as peut-être un don !!!

« Hum, se dit Émily. On verra. Poil aux bras. »

— Continue de nous expliquer, fait Émily en pointant du doigt le carnet d'Emma.

— Bon, la mauvaise nouvelle, c'est que ce que je comprends s'arrête ici. J'ai essayé de comprendre le programme, mais c'est vraiment compliqué. Il y a trop de fonctions, trop de boutons. Et puis, tout est en anglais ! Et moi, l'anglais…

— Passe-moi ça, dit William en prenant le iPad.

Mais il abandonne après quelques minutes et rend la tablette électronique à Emma.

— Ouin. C'est vraiment technique. Ça nous prendrait des heures juste pour comprendre toutes les fonctionnalités. Et je suis pas certain qu'on réussirait. C'est pour les pros, cette affaire-là.

Les trois amis sont découragés. Ils étaient si excités hier de planifier cette journée! Maintenant qu'ils se retrouvent devant un ordinateur sans pouvoir faire quoi que ce soit, ils ont le moral au tapis.

— Qu'est-ce qu'on fait? demande Émily.

— Ben, tu pourrais chanter, répond Emma. Chanter devant William, je veux dire. Il ne t'a jamais entendue.

— Oh NON! Heu… non non non. J'étais prête à chanter avec tout un orchestre, mais pas TOUTE SEULE.

— Tu pourrais venir chez moi. Je pourrais jouer un peu de batterie pour t'accompagner.

— Heu… non merci!?! TROP gênant.

— Me semblait que tu travaillais ça, la gêne, avec ta prof? fait Emma.

— Oui, mais justement, je la TRAVAILLE. C'est pas FINI.

— C'est un travail en chantier. Chant-tier. Mouhahahahaha! dit Emma qui est encore une fois toute seule à comprendre sa blague.

— Bon ben, on fait quoi maintenant? lance William.

— On pourrait se louer un film?

— OUI!!! s'écrie Emma. On va aller en louer un en face.

— Oh non, pas tes films indiens plates?!!

— C'est pas plate, c'est plein de musique et de danse!

— Hé, tu parles des films de Bollywood? demande William.

— Oui! Tu connais ça?

— Ouais. J'en ai vu quelques-uns. C'est drôle.

— Dites-moi pas que je suis minoritaire à vouloir regarder un film NORMAL? bougonne Émily. Tsé, un film d'horreur ou une comédie?

— Je vote Bollywood, tranche William.

Avant de… roter!!!

— Tu as ROTÉ?!! crie Émily. DÉGUEU!!!

— Scuse! s'esclaffe William en devenant tout rouge.

— Trop de poulet, décrète Emma.

— DÉGUEU!!! DÉGUEU!!!!! continue Émily.

— Hahahahahahahahahahaha!

— Scuse! répète William en riant. C'est vraiment sorti tout seul quand je me suis étiré!

— Pour te faire pardonner, tu vas retourner ton vote, dit Émily.

— Oh, allez!

— Will, t'as ROTÉ. C'est DÉGUEU.

— Je sais aussi parler en rotant, affirme-t-il avec un clin d'œil.

— On va s'en passer.

— Sais-tu dire Bollywood en rotant? demande Emma.

— Bon, j'ai compris, capitule Émily.

Va pour le film indien.

27.

— Alors, qu'est-ce qu'il y a, *dear*?

Madame Gentilly est assise, comme toujours, sur le banc de piano et regarde Émily droit dans les yeux. «On dirait qu'elle lit en moi, se dit Émily en frissonnant. Aahhh! une télépathe?»

— J'ai une question.

— Je sais, j'attends que tu la poses.

«TÉLÉPATHE!»

— Heu… vous croyez vraiment que je pourrais devenir une chanteuse célèbre?

Émily est debout, le pharynx ouvert, les yeux brillants. Elle vient de faire une très bonne prestation a capella (sans accompagnement) de la chanson *I'm Going Up Yonder*, un classique de gospel qu'elle ADORE.

— C'est une chanteuse ou c'est une vedette que tu veux devenir?

— Ben, les deux!…

— Eh bien, on va arrêter les leçons tout de suite, dit madame Gentilly en se levant. Hop, dehors. *Out*.

— POURQUOI?? demande Émily, paniquée.

— Parce que si tu veux devenir célèbre, ça veut dire qu'être chanteuse ne t'intéresse pas tant que ça. Ouste.

— Je ne vois pas pourquoi l'un serait un obstacle à l'autre!

— Si tu veux que les gens t'applaudissent, c'est très facile. Tu n'as pas besoin de moi pour ça. Tu n'as qu'à monter sur scène et donner ce que le public veut. Pas besoin de savoir chanter pour ça. Ok, *dear*, sors de chez moi. J'ai assez perdu de temps comme ça!

Émily tremble de la tête aux pieds. Elle a l'impression d'avoir fait une immense gaffe.

— Je prends des cours avec vous parce que j'aime chanter, déclare Émily sur un ton suppliant. Et puisque j'aime chanter, je veux MIEUX chanter. Et avec vous... heu... j'y arrive. S'il vous plaît, oubliez ce que j'ai dit. Liquid Paper, ok? *ERASE*. Heu... *REWIND*?

Émily croit entendre le rire de madame Gentilly dans la cuisine. Mais, pourtant, quand celle-ci revient dans le salon, elle a son visage fâché de tous les jours.

— Je repose donc ma question. Qu'est-ce qu'il y a?

Émily prend une grande respiration.

— Est-ce que j'ai l'oreille… heu… absolue?

— Je ne pense pas. Tu as beaucoup d'oreille, c'est vrai, ton oreille est meilleure que celle de la moyenne des gens. Mais je ne pense pas qu'elle soit parfaite. As-tu une autre question?

Émily est presque soulagée. La perspective d'avoir l'oreille absolue lui faisait peur. Comme si elle avait été un extraterrestre qui entend des voix ou des messages codés. Ses épaules se relâchent d'un coup. Elle n'a donc pas les oreilles bizarres, comme son oncle. Elle ne se mettra pas à porter des robes africaines et des chapeaux à pompon.

— C'est tout?

— Oui.

— C'est Alain qui t'a parlé de ça?

— Non. C'est juste que j'entends des fois que les gens… heu… faussent? Et puisque je sais que, lui, il a l'or…

— Oui, il l'a. Et il l'a gaspillée de jolie façon. Bon, on reprend. Dictée musicale.

«Oh non! Pas une DICTÉE musicale!» se dit Émily. C'est ce qu'elle déteste le plus. «C'est PLAAAAATE! Je veux des pinooottes!» Elle doit transcrire sur une portée («PLATE!») les notes («PLATES») que joue madame Gentilly au piano.

— Merci de me garder comme élève, glisse Émily en sortant une feuille de musique de sa mallette Burberry.

— Ok, *dear*. Voici la série. Je ne vais la jouer qu'une fois. Comme ça, tu pourras te servir de ta mémoire et de ton oreille ordinaire.

Émily pousse un soupir et s'assoit sur le tapis. Puis elle s'applique à transcrire la série que madame Gentilly joue à une vitesse vertigineuse.

— Parfait. Sans faute. Excellent. On y va encore pour des gammes avant de terminer.

Émily fait sa série de gammes religieusement. La respiration est bonne, la voix est posée. Elle tient beaucoup plus longtemps chaque note. Et elle peut retrouver la même qualité de voix debout, penchée ou couchée sur le sol.

— Magnifique, *dear*. Va-t'en maintenant. Je suis fatiguée.

Émily ne se fait pas prier. Elle ramasse ses affaires et se dirige vers la porte. Elle l'a échappé belle, elle aurait pu être SUSPENDUE de son cours de chant! Horreur! C'est peut-être de ça que parlait Emma lorsqu'elle disait qu'une suspension était une punition grave. Emma aime tellement l'école! Voilà pourquoi elle était bouleversée par la suspension de Jérémie.

Mais Émily n'est vraiment pas certaine que Jérémie aime à ce point l'école. D'ailleurs, il fait

encore plus le fanfaron depuis qu'il est revenu.
Emma dit que c'est à cause de William. « Heu…
le lien, s'il vous plaît ? ! »

De : Émily Faubert (emilfaubert@hotmail.com)
À : Emma Nolin (emmanolin@hotmail.com) ;
William Beauchamp (willskate@gmail.com)
Objet : Oreille ! ! !

Eille, devinez quoi ? J'AI PAS L'OREILLE
ABOSLUE ! ! ! Ouf. Mon prof m'a presque engueulée
quand je le lui ai demandé. Mais elle a dit NON. Je
suis une fille normale. Youpi ! ! ! ! ! ! ! ! ! ! ! ! !

Lov (juste à Emma)
Émily

De : Emma Nolin (emmanolin@hotmail.com)
À : Émily Faubert (emilfaubert@hotmail.com) ;
William Beauchamp (willskate@gmail.com)
Objet : RE : Oreille ! ! !

C'est quoi, une oreille A.B.O.S.L.U.E ? ☺ ☺ ☺

Lov aussi (juste à Émily)
Emma

De: William Beauchamp (willskate@gmail.com)
À: Émily Faubert (emilfaubert@hotmail.com);
Emma Nolin (emmanolin@hotmail.com)
Objet: RE : RE : Oreille ! ! !

Cool.
W.

De: Emma Nolin (emmanolin@hotmail.com)
À: Émily Faubert (emilfaubert@hotmail.com);
William Beauchamp (willskate@gmail.com)
Objet: RE : RE : RE : Oreille ! ! !

Nous venons d'admirer tout le potentiel de
discussion de William Interjection Beauchamp.
Grandiose monosyllabie.
En ton honneur, je réponds tout de suite :
Yeah.
Emma

De: Émily Faubert (emilfaubert@hotmail.com)
À: Emma Nolin (emmanolin@hotmail.com);
William Beauchamp (willskate@gmail.com)
Objet: RE : RE : RE : RE : Oreille ! ! !

HAHAHA !
Émily

☺
W.

28.

Émily veut mourir. Elle est assise au milieu de huit *NERDS* (en comptant la *nerd*-intello suprême nommée Emma). Elle est la seule qui n'a pas de lunettes. La seule qui ne porte pas de broches.

BLAGUE.

Ben non, les huit membres du club de Génies en herbe n'ont pas tous des lunettes ou des broches. Il y a même une Sarah de deuxième secondaire vraiment très maquillée par-dessus son air ultra-sérieux. Mais Émily se sent complètement ridicule, assise au milieu d'eux. Comme une grande asperge au milieu d'un panier de pommes rouges.

À moins que ce soit elle, la pomme rouge au milieu de la botte d'asperges ? Parce qu'elle sent son nez se colorer. Zut !

C'est qu'elle ne comprend pas comment tenir sa manette sans déclencher automatiquement l'alarme. Comme si ses doigts ÉCRASAIENT automatiquement le bouton rouge (comme son nez) qui déclenche le « biip ! » (pas comme son nez). Bref, son témoin lumineux rouge (celui de la manette) s'allume constamment.

— En quelle année a eu lieu la Révolution française ? demande la… préfet (préfette ?).

(Ça fait un peu Schtroumpfette…)

Biiip.

— Émily ?

— Heu…. hum… mille neuf cent… quatre-viiiiiingt-deux ?

INNNNNNNN, résonne le marqueur d'erreurs.

— Erreur. Droit de réplique ?

Biip.

— Non, Émily, tu ne peux pas sonner deux fois. Droit de réplique ?

Biip.

— NON, Émily. La réplique c'est pour l'autre équipe. Droit de réplique ?

Biip.

— NON, ÉMILY !

Biip.

— MAIS VOUS VOYEZ BIEN QUE JE FAIS PAS EXPRÈS !!! crie Émily. Je tiens pas à m'humilier cinq fois de suite !!! Je la sais pas, la maudite date !

— Lâche la manette ! Tu la prendras dans tes mains seulement si tu as la réponse.

— Ok, dit Émily en déposant la manette, devant l'air désolé d'Emma.

— Bon, droit de réplique ?

Biip.

— Elton ?

— 1789.

— Point. Quelle est la capitale des Territoires du Nord-Ouest ?

Biip.

— Elton ?

— Yellowknife

— Point. Nommez trois langues qu'on y parle ?

Silence.

Silence…

Biip.

— Emma ?

— L'anglais, le français et… heu… l'inuk… heu… l'inuktitut ?

— Point.

— YESSS ! s'écrie Émily.

Les sept autres joueurs la regardent comme si elle avait de nouveau fait résonner un long pet devant Robert Pattinson et Kristen Stewart.

— Ben quoi ? Youpi ? Youkaïdi ?

— Émily, c'est pas une partie de basket ou un match de hockey! dit la Schtroumpfette. Il faut pas qu'on arrête le jeu à chaque bonne réponse!

Émily s'enfonce dans sa chaise. Elle ne peut toucher la manette. Elle ne peut encourager son amie. Il ne lui reste plus qu'à disparaître. Pouf. Mais Emma lui adresse un grand sourire.

— On continue. Nommez le costume africain traditionnel habituellement porté par le marabout.

« JE LE SAIS JE LE SAIS JE LE SAIS JE LE SAIS, se dit Émily. C'est le truc, là, le… le boubou. LE BOUBOU. LE BOUBOU. »

Biip.

— Sarah?

— La djellaba.

« Non non non, ça, c'est la robe ARABE. JE LE SAIS JE LE SAIS. C'est le BOUBOU! LE BOUBOU! Où est la MAUDITE manette? » Mais Émily est tellement énervée que la manette glisse et re-glisse entre ses mains.

INNNNNNN.

— Erreur. Droit de réplique?

— MOI! crie Émily.

— Actionne la manette, dit la Schtroumpfette.

Tout le groupe rit. Emma aussi. Elle connaît la réponse, mais elle sait que son amie la connaît également. Parce qu'Émily lui a parlé du boubou de son oncle Alain.

Cette dernière réussit à mettre la main sur la manette et la détruit presque en appuyant dessus de toutes ses forces.

Biip. («ENFIN!»)

— Émily?

— LE BOUBOUUUUUUU!!! hurle-t-elle.

— Point. Quel est le nom de l'inventeur de la pénicilline?

Biip.

— Émily?

— Heu… non, désolée, bredouille-t-elle en desserrant la manette.

— Droit de réplique?

Mais Émily n'entend plus. Elle a fait un point. UN POINT! Son équipe a un point de plus grâce à elle! «Qui est la plus foorte? Moi!» se dit-elle en riant intérieurement.

— Tu as été MUSTI fantastique, lui lance Emma alors que tous les élèves sortent du salon double du club Génies, qui est en fait le salon des profs.

— Tu trouves? demande Émily, qui n'a pas vu l'heure passer, tant elle est ÉMOUSTILLÉE par son succès.

— Mets-en! Tu vois, tu n'es pas aussi poche que tu le pensais!

— Beau coup, Emma! la félicite Elton en passant devant elles. L'inuktitut! J'y aurais pas pensé!

— Ouais, merci, répond Emma en rougissant.

Émily jette un regard entendu à son amie qui hausse les épaules.

— Quand je pense que j'ai fait un point grâce à Alain! Tsss, dit Émily.

— Tu vas peut-être être super bonne pour les questions d'anthropologie!

— Peut-être! Heu… de quoi?

— L'étude des cultures! Alain, il connaît plein de cultures du monde entier grâce à ses voyages!

— Tu veux dire qu'il faudrait que je me mette à vraiment l'ÉCOUTER quand il raconte ses aventures? fait Émily en riant.

— Hé, NIKKI! T'es avec les *nerds* de Génies en herbe?

Jérémie, encadré par Francis Breton-Cheveux et Grand-Roux, regarde les deux amies en souriant. Émily sent son ventre se retourner comme un sablier.

— Je pensais que t'étais devenue une groupie de sport, maintenant, ajoute-t-il en faisant une grimace.

— De sport? Pourquoi?

— Ben, à cause de monsieur Muscle qui te suit partout.

— Will? Ah… heu… ben… non.

— Nikki la *nerd*…, dit pensivement Jérémie.

— Qui a écrit: «Tout ce qu'on vous apprend à l'école, c'est des conneries»? demande Grand-Roux avant d'éclater de rire.

— C'est Orson Welles, répond Emma, sur le point d'exploser de rage.

— Eh ben, c'est officiel. Ce sont des *nerds*. NEURDZZZ.

— Et alors? C'est peut-être mieux que d'être un pseudo-acteur dans une pub poche! lance Emma, rouge de colère.

Le visage de Jérémie devient blanc pendant quelques secondes.

— Qui a dit qu'il fallait être gentil avec le *nerd* parce qu'un jour il sera ton patron? Tu le sais pas? poursuit Emma sur sa lancée. Non? C'est Mark Zuckerberg. Le chef des *nerds*. Il est milliardaire. Comme Bill Gates. Un autre *nerd*.

— On s'en va, les gars. Le puceron est en colère et j'ai PEUR, déclare Jérémie qui a retrouvé son sourire arrogant.

Les trois garçons s'éloignent en riant. Émily est effondrée.

— OH, EMMA! dit-elle. C'est épouvantable, ce que tu as fait!!!

— Mais il a été condescendant, répond Emma, mal à l'aise. Il nous a traitées de *nerds*!!! On doit pas se laisser parler comme ça…

— C'est affreux, Emma!!!

— Je sais, soupire Emma, déconfite. Je n'ai pas pu m'en empêcher. Oh, seigneur. Je suis vraiment désolée. Tellement! Mais c'est MOI qui ai parlé. Pas toi! Il va peut-être faire la différence… On n'est quand même pas une hydre. On a chacune notre tête!

Émily ne relève pas. Encore une fois, elle ne comprend rien à ce que dit Emma, mais elle n'en a rien à cirer, de la «nidre». Elle a seulement envie de courir derrière Jérémie pour s'excuser.

«Oh… mon… Dieu!»

Vivement le club d'improvisation de la semaine prochaine! Elle essaiera de se reprendre. Mais Emma est au bord des larmes, effarée de voir qu'elle a fait de la peine à sa meilleure meilleure meilleure amie.

— Je m'excuse, Émily. Mais c'était vraiment méchant, ce qu'il a dit sur les *nerds*. Et moi, j'en suis pas une, tu sais. Je suis une intello! Mon sang a fait trois tours! explique-t-elle avant de se mettre à pleurer pour de bon.

— Tu as raison, dit Émily. Je comprends. Inquiète-toi pas, Emma.

Mais les mots lui écorchent la bouche. Elle sait bien que Jérémie n'a pas été très gentil avec elles. Mais, en même temps, elle n'arrive pas à

croire qu'Emma lui a parlé sur ce ton. À LUI!!!
Jérémie Granger!!! En fait, Émily est déchirée
entre son (amour) admiration pour Jérémie et
son amitié pour Emma.

Et pour la première fois depuis très longtemps, elle ressent dans son ventre le tournimini
tournevis mini.

29.

— Dans quelle main ? dit William en tendant ses deux poings devant Émily.

— Je sais pas.

— Allez ! Dans quelle main ?

— Heu… la gauche ?

— NON ! Hahahahahaha !

— Bon, tu vois bien que c'est poche comme jeu !

— Mais j'ai vraiment quelque chose dans la main droite. Regarde !

Émily et William sont dans les vestiaires. Les cours sont finis et ils ont prévu d'attendre Emma dans le salon de récré, puis d'aller tous les trois jouer à la Xbox chez Émily. Mais William a surgi devant le casier de cette dernière en la faisant sursauter. CE QU'ELLE DÉTESTE LE PLUS AU MONDE. Elle prend néanmoins le petit papier froissé que lui tend William et le déplie lentement.

— « Il paraît que tu joues de la batterie. On cherche un batteur. Viens nous voir aujourd'hui après les cours au local d'improvisation. Jérémie Granger. » OH… MON… DIEU ! dit Émily.

— J'avais ça dans ma case. Il a dû le plier et le glisser dans une fente pendant l'heure du dîner.

— OH… MON… DIEU !!! répète Émily.

— Hahaha ! Je le savais.

— Quoi ?

— Que tu réagirais comme ça.

— C'est GÉNIAL !!!

— Hein ? NON ! Il est pas question que j'aille me pointer là.

— Heu… attends, je pense que je sens plus mon pouls. Il est pas question que QUOI ?

— C'est un petit frappé, ce gars-là. Il m'impressionne pas pantoute.

— WILL ! Même si tu l'aimes pas, le groupe est super bon ! Oh ! ben oui, c'est à cause de Grand-Roux, fait Émily en se tapant le front. Il a eu un accident de ski. Ça doit être grave alors… s'il peut plus jouer…

— Ah, dit William en triturant son sac.

— Mais eille ! C'est ta chance d'intégrer le groupe !

— Non non non. J'aime la musique, mais pas à ce point-là, tsé.

— TU CAPOTES?!! Wow! Des électro-chocs, quelqu'un? Une roue de torture? Dis-moi pas qu'il va falloir t'arracher les ongles comme les Indiens ont fait aux jésuites pour que tu ailles tenter ta chance? Je te le dis, ils sont bons!!!

— Ben oui mais, toi, tu vois Jérémie Granger dans ta soupe.

— Même pas vrai! réplique Émily en sentant son nez prendre la couleur d'une cerise mûre. Pis demande à Emma. Elle DÉTESTE Jérémie. Mais elle les a trouvés BONS! Et puis, tu vas pouvoir jouer à la soirée Amateurs avec eux!! La SOIRÉE AMATEURS!!!

— Ok, on fait un deal, d'abord.

— OK!!! Je dis déjà oui.

— Si le groupe me prend, t'es obligée de t'inscrire toi aussi à la soirée Amateurs.

— Heu… hein?

— Oui. Comme chanteuse.

— Ben, j'ai pas de groupe!

— C'est ça qui est ça.

— BEN LÀ! Je peux quand même pas chanter toute seule!

William sifflote. Il l'a bien eue. Émily voudrait vraiment qu'il devienne le batteur du groupe de Jérémie parce que, eh bien, parce que ça la rapprocherait de Jérémie. Et puis, c'est une super opportunité pour lui! « Ouin, songe-t-elle. C'est pas LA raison du siècle, puisqu'il a pas l'air d'y tenir tant que ça, mais bon… »

William est fier de son coup. Il a bien compris pourquoi Émily tient tant à ce qu'il accepte l'offre de Jérémie Granger. Mais il croit aussi qu'elle devrait chanter. Surtout depuis qu'il l'a vue lâcher son fou avec Emma dans le solarium dimanche dernier. Elle chante vraiment bien. Elle doit sauter dans le vide et chanter devant un public. Quitte à être un peu poussée.

— C'est vraiment BOA, William Beauchamp.

— Eh oui.

— Allez! Demande-moi autre chose. N'importe quoi. Je vais dire oui.

— Tu as déjà dit oui.

— C'était une façon de parler.

— Eh bien, fait William en regardant sa montre, ils m'attendent, je pense.

— OK, OK, OK. Je dis oui. S'ils te prennent, je vais m'inscrire.

Émily vient de gagner du temps. Elle va pouvoir revoir Jérémie en compagnie de William. C'est déjà ça. Et puis, qui sait? Peut-être que le groupe ne voudra pas de lui. Et elle ne sera pas obligée de CHANTER TOUTE SEULE devant toute l'école. Ouais. C'est un bon plan.

William et Émily montent donc au troisième étage et cognent à la porte du local. C'est Francis Breton-Cheveux qui ouvre la porte.

— Ah, monsieur Muscle. Entre. On t'attendait. Tu peux entrer aussi, Nikki.

— Ben oui, si on trouve Musclé, on trouve Nikki, grince Jérémie.

William sourit et s'assoit sur un des divans, d'un air détaché. Jérémie s'installe en face de lui. Émily reste debout.

— Alors, comme ça, tu es batteur?

— Ouais.

— Ça fait longtemps que tu joues?

— Assez.

— Tu joues quel style de musique?

— Un peu de tout.

— Tu aimes quoi?

— Chais pas. John Bunham. Lars Ulrich. Neil Peart.

— Ouin. Pas pire, dit Jérémie.

— Pas PIRE? Je te nomme des dieux de la batterie! Tu te prends pour qui?

— Pour un gars qui va devenir une légende, le Musclé. Tu me nommes des bons batteurs, mais c'est des batteurs qui font tous du bling-bling. T'aimes le bling-bling.

— Je savais pas que Metallica pis Rush, c'était du bling-bling.

— Je veux dire : ce sont des vieux batteurs des années 1970, 1980.

— Ben, je peux te nommer Tony Royster Jr, si tu veux du récent. Mais même s'il joue avec Jay-Z, il reprend tous les vieux trucs de Dennis Chambers. Alors…

Émily ne connaît aucun des batteurs dont parle William. Sa connaissance en musique se limite aux groupes et aux chanteurs qu'elle entend à la radio.

« Je devrais étudier ça d'un peu plus près, se dit-elle. Je pourrais impressionner Jérémie. »

— Ok, le Musclé, on va voir si t'es si bon. Fais-nous une démonstration de tes talents. C'est la batterie de Zach, précise-t-il en lui montrant l'installation qui trône au milieu de la pièce. As-tu tes propres baguettes avec toi ?

— Ouais.

« Bien sûr qu'il les a avec lui », se dit Émily. William joue souvent avec ses baguettes pendant qu'Emma et elle parlent à la cafétéria ou encore au solarium. Elles sont reconnaissables parce qu'il y a un petit lacet de cuir rouge au bout de l'une d'elles. Et William les traîne partout dans son sac à dos.

— Installe-toi. Je t'avertis, on a deux autres gars sur la liste.

— Ouais ouais.

William s'assoit sur le tabouret et vérifie l'état de la batterie et des pédales. Puis il frappe un petit rythme léger et rapide, comme pour s'amuser. Jérémie soupire. Émily commence à penser qu'elle ne chantera pas à la soirée Amateurs et se sent momentanément soulagée.

Mais William se met à faire de petites variantes. Il fait un clin d'œil à Émily et accumule bientôt les cabrioles sonores. Il accélère, brise le rythme par un entre-deux, accélère de nouveau, commence à s'échauffer, fait une autre embardée, sourit à Émily. Il a l'air de bien s'amuser.

Jérémie regarde les autres. Ils sont tous un peu surpris. Ils s'attendaient à quelque chose de plus traditionnel. Mais William semble jouer comme s'il ne prenait rien au sérieux. Il effectue des *breaks*, des *buzz rolls*, des *cross stick*. Émily n'y connaît rien, mais voit bien que Jérémie écoute la démonstration de William avec attention.

Puis, peu à peu, ses facéties rythmiques se transforment en une cavalcade de sons de plus en plus forts et de plus en plus rapides. Bientôt, on dirait qu'ils sont trois batteurs à jouer en même temps, mais il n'y a que William. Émily commence à taper du pied. Jérémie écarquille les yeux. Francis Breton-Cheveux et l'Asiatique secouent la tête en souriant et en se regardant, ravis. Mais William, lui, lève les yeux vers Émily.

« Tu vois, semble-t-il dire. Tu vas devoir chanter devant toute l'école. »

Il transforme alors son rythme en reprenant une coda de Tony Royster Jr, avant de le lier à celui de la chanson *Oye Como Va*, comme pour rire de Jérémie. En faisant cela, William lui démontre que le jeune Tony Royster est nettement influencé par Dennis Chambers.

L'allusion échappe à Émily, mais pas à Jérémie qui éclate de rire de bon cœur. Puis William arrête de jouer d'un coup sec avant de faire quelques tours sur le tabouret pivotant.

— YEAH!!! s'écrient les trois garçons en applaudissant.

— C'est excellent, *man*! dit Jérémie.

Mais William retourne vers son sac à dos et range ses baguettes avant de répondre simplement :

— C'était ok. Ouais.

— Si tu veux jouer avec nous, t'es notre gars, *man*, lance Breton-Cheveux. On trouvera jamais mieux que ça!!!

— Mets-en, fait l'Asiatique.

— Ok.

— Je m'appelle Cham, continue l'Asiatique en lui tendant la main.

— Salut.

— OK!!! s'exclame Jérémie, tout content. On peut commencer notre répète. On va essayer *I Gotta Feeling*…

— Heu… minute. Moi, je m'en vais, là, répond William.

— Comment ça, tu t'en vas? demande Jérémie.

— Ben, j'avais pas prévu une répète. Je peux pas aujourd'hui. La prochaine fois.

— T'es malade, toi? On peut pas se permettre de perdre une répète! On joue fin mai!

— Ben, ça va être ça, déclare William en ramassant son sac et en sortant du local. Salut!

Émily ne sait pas trop quoi faire. Finalement, elle dit: «Bye!» avant de suivre William hors du local.

— Pourquoi t'as fait ça? demande-t-elle.

— J'ai trop envie de jouer à la Xbox.

— Hahahaha, malade!

— Ouais, héhé.

— Je savais pas que t'étais aussi bon, William… T'es vraiment doué, hein?

— Ouin, pas pire, admet-il en rosissant.

— Faut le dire à Emma!!! Elle doit se demander où on est, pauvre elle. Elle doit être au salon de récré en train de lire un autre de ses livres plates, genre la biographie de Newton. PLAAAATE.

Émily se déplace en faisant de petits sauts. Elle frétille littéralement. William est devenu le batteur de Jérémie. Mieux, il l'a impressionné. Et c'est SON ami.

« Attends.

« Ça veut dire que.

« Que…

« OH… MON… DIEU !

« Je devrai chanter devant TOUTE L'ÉCOLE.

« TOUTE SEULE.

« Maudit Will. »

30.

— Je vais devoir chanter devant toute l'école, dit Émily.

— AH OUI??? s'écrie Alain en levant la tête et en faisant ainsi trembler tous les petits rubans qui pendouillent de son sombrero.

— Ben oui. Tu parles d'une connerie.

— Mais pourquoi tu le fais si ça te tente pas?

— C'est un défi. Une sorte de pari avec William, mon ami. Il m'a dit que s'il…

— Épargne-moi les détails plates, la coupe Alain. Tu dois chanter avec d'autres filles? Que chanteras-tu? Et c'est quand? Et je pourrai aller te voir? Est-ce qu'Ann est au courant?

— ES-TU FOU? Elle me tuerait, je pense.

— C'est quand? répète Alain.

— Fin mai. Le 22 mai, pour être précise. Le jour où je vais mourir. Je dois chanter TOUTE SEULE.

— Tu as une idée?

— Pour mes funérailles?

— Nan. Une idée de ce que tu vas chanter.

— OH, jeveuxpas jeveuxpas jeveuxpas. C'est horrible. Non. J'ai AUCUNE idée. J'ai la tête comme un plat de sauce. Avec aucun légume dedans. Juste de la sauce.

— Tu devrais quand même en parler à Ann. Elle t'aiderait.

— Elle va me TUER!

— Mais si tu meurs de toute façon le 22?

— Mouais.

Émily est en train d'aider Alain à classer des photos. C'est elle qui lui a donné l'idée de vendre quelques agrandissements de ses meilleures photos de voyage. Surtout celles qui sont impressionnantes, comme celles des rodéos ou encore celles du désert.

— Hé, c'est un taureau, ça?

— Oui.

— En pleine rue?

— Oui, madame. Photographié par moi-même en personne.

— Mais que fait-il en pleine rue?

— Ils font ça chaque année à Pampelune. Les habitants de la ville lâchent des taureaux dans les rues et il faut se sauver pour ne pas être encorné.

— MALADE!!

— Ouais, pas mal. Mais tripant aussi. Ça court vite, un taureau!

— Mais c'est vraiment dangereux!!!

— Heu… oui.

— As-tu eu peur?

— Un peu.

— J'imagine…

Émily regarde attentivement la photo. Le pauvre taureau a l'air encore plus paniqué que les gens autour de lui.

— As-tu vu des corridas aussi?

— Oui. Ça, c'est un peu triste.

— Oui, hein?

— Oui. Parce que le taureau meurt de toute façon. Il a aucune chance. Le combat finit toujours ou presque par la mise à mort.

— Et ton sombrero, tu l'as acheté là-bas?

— En Espagne? Non, c'est mexicain. Je l'ai trouvé à Santa Rosalia. Le soir où j'ai mangé mes premiers *sopapillas*. Mium. C'est comme un beigne au miel.

— Eh ben, je ferai peut-être un autre point à Génies en herbe avec ça, dit Émily en souriant.

— Quoi?

— Je me comprends.

Émily dépose la photo sur le comptoir de la boutique.

— Que fait mon père ? demande-t-elle soudain, en gardant les yeux baissés sur le comptoir.

— Heu… qu'est-ce que tu veux dire ?

— Ben, il fait quoi ? Il habite où ? Tsé ?

— Oh ! Ben. Il habite dans les Cantons-de-l'Est.

— Comme ça, il est pas coincé dans une toilette chimique, hein ? dit Émily en tentant de sourire.

— Hein ?

— C'est une blague.

— Ah. Hihi.

Alain est visiblement mal à l'aise. Il redoutait cette conversation et attendait qu'Émily fasse les premiers pas pour en parler. On dirait que ce jour est arrivé. La jeune fille triture un coin de photo. « On dirait presque William, tiens, se dit-elle. Toujours en train de triturer quelque chose quand il parle. Les rares fois où il parle. »

— Le vois-tu des fois, mon père ?

— Pas souvent, non. On se voit pas beaucoup.

— Pourquoi ?

— Ah, ben, parce qu'on a chacun nos vies.

— Tu lui as pas dit que tu me voyais ?

— Heu… non.

— Pourquoi?

— Ben, parce que c'est pas à moi de faire ça. Tu penses pas? Tu aurais aimé que je le lui dise?

— Je sais pas.

Émily sent le tournevis tourner, tourner. En fait, elle aimerait que son père sache qu'elle va chanter devant toute l'école. Mais c'est idiot. «"Hé, ça fait sept ans qu'on s'est pas vus, mais je voulais juste te dire que j'allais chanter à la soirée Amateurs de mon école." TOP *REJECT*.»

— Je peux lui dire, si tu veux.

— NON. Non non, je sais pas pourquoi je dis ça. C'est pas une bonne journée, excuse-moi.

— Ben non, ma pinotte.

Alain a un air tout penaud. Émily ne peut s'empêcher de sourire en voyant tous les petits rubans remuer autour de son visage.

— Est-ce que ça t'arrive de t'habiller NOR-MALEMENT?

— Qu'est-ce que tu veux dire?

— Ben, tsé, une paire de jeans, une chemise…

— Ben, c'est ça que je porte!!!!

— T'as un jeans pattes d'éléphant pis une chemise country. Sans compter tes bottes de cow-boy. C'est pas exactement ce que je voulais dire, Câlin.

— La vérité…, commence-t-il sur un ton mystérieux, c'est que mon corps est couvert de cicatrices à cause de mes aventures. Chut. Alors, j'attire l'attention ailleurs.

— Ben voyons donc !

— Je te le dis.

— Tu me niaises.

— Tu veux des preuves ?

— OUI.

— Ben, alors regarde, fait-il en levant un coin de chemise en souriant.

Émily voit un petit rond boursouflé dans la chair. On dirait une brûlure.

— Ben, Câlin ! C'est tout petit, tout petit !

— Mais c'est une morsure ! Une morsure de bandy-bandy.

— Un chef de gang t'a mordu ???

— HAHAHA ! C'est vrai, on dirait le nom d'un gangster. NON. C'est un serpent d'Australie. («Génies en herbe», se dit Émily.) Je faisais une sieste dehors comme un con. Je savais pas qu'en Australie c'était bourré de serpents. («Génies en herbe.») J'ai été chanceux. Le bandy-bandy, c'est pas un serpent mortel. («Génies en herbe.») Il m'a quand même fait mal en tord-vice. Ça m'a réveillé ! Hahaha.

— Aouch ! Il t'a vraiment mordu dans le gras.

— Hé ! Je suis pas si gras.

— Tu en as d'autres ?

268

— Oui, répond Alain en retirant sa chaussure. Regarde ! Tu vois sur ma plante de pied ?

— Oui, il y a une petite ligne blanche !

— Je me suis fait piquer par une vive. Ça, ça fait MAL.

— C'est quoi, une vive ?

« Génies en herbe ! »

— C'est un poisson vraiment nono qui se cache dans le sable en laissant son gros pic sorti. (« Génies en herbe ! ») Alors, toi, tu marches en longeant la mer, tout tranquille, et soudain AYOYE ! Et je te jure que ça fait VRAIMENT mal. Ça brûle, brûle, brûle.

— Comme le *jellyfish* ? demande Émily qui se souvient de la sensation de brûlure qu'elle a ressentie lorsqu'une petite méduse s'est enroulée autour de son bras, un été à Hawaï.

— Ben, je peux te dire que la méduse, c'est RIEN comparé à la vive.

— J'ai été brûlée une fois sur un bras par un *jellyfish*. J'ai été obligée de faire PIPI sur la brûlure. Hahahaha !

— Oui, c'est vrai, c'est ce qu'il faut faire. Mais pourquoi ? Ça, j'en ai aucune idée…

— Et tu as fait pipi sur ton pied ?

— Non. Je suis allé à la clinique. Hé ! Mais personne ne parlait anglais. Tout le monde parlait géorgien. Et moi, je montrais mon pied en disant : « AYOYE ! AYOYE ! AYOYE ! »

— Hahahahahahaha!

— Je devais avoir l'air d'un vrai fou!

— Alors, c'est ça, tes NOMBREUSES cicatrices?

— Il reste la plus spectaculaire, dit Alain en levant le menton.

Émily remarque la ligne blanche qui longe la mâchoire de son oncle.

— Et c'est quoi?

— Je suis tombé dans une chute de mille mètres au Brésil et un crocodile m'a mordu.

«Génies en… Hé, quoi?»

— BEN LÀ!

— Hahahahaha!

— Pour vrai?

— Je suis tombé sur la brique du foyer chez nous quand j'avais quatre ans. C'est d'ailleurs ton père qui m'avait poussé. Il m'agaçait toujours, lui. Parce que j'étais le plus petit.

— Me semblait aussi. Des serpents pis des poissons-piques, ça passe. Mais des crocodiles…

— J'en ai vu, en Louisiane. Mais je ne me suis pas risqué à nager avec eux. Brrr.

— Tu as vraiment fait le tour du monde, hein?

— Non. Mais j'ai vu beaucoup, beaucoup, beaucoup de choses, c'est vrai. Et j'en ai vu assez pour savoir que tu seras GÉNIALE à la soirée Amateurs.

«Hum, rien n'est moins sûr», se dit Émily qui aimerait bien, tiens, marcher sur le pic d'un poisson, disons, la veille du 22 mai?...

31.

— Piit piit piit! crie Emma.

Elle est accroupie sur la scène et lance des regards effarés à Émily qui se mord les lèvres pour ne pas rire. Il a fallu que leur équipe d'improvisation pige le sujet « Pagaille dans le poulailler » pour que l'entraîneur, un garçon très maigre de deuxième secondaire, pousse Emma sur la scène, dans le rôle du poussin, et Émily dans celui de la fermière.

— Piit piit pitt? fait encore Emma.

Émily se dit qu'Emma va lui arracher la tête à la fin de l'activité. Et elle aura bien raison. Pauvre Emma.

— Que fais-tu là, petit poussin? demande Émily en regardant Emma, toujours accroupie.

— Piit piit piit...

— Oh, petit poussin ! Tu sais, tu PEUX parler si tu le VEUX ! lance Émily en espérant qu'Emma comprendra qu'en improvisation les animaux peuvent parler !

Mais Émily commence à lire de la panique dans les yeux de son amie. Visiblement, celle-ci ne comprend pas du tout quoi faire.

— Piit piit piit, répète-t-elle en tournant sur elle-même.

— Petit poussin, je t'ai dit que tu POUVAIS parler. Dire des MOTS.

— Piit piit piit, continue Emma, cette fois en hochant la tête, les sourcils levés en signe d'incompréhension.

La classe d'improvisation est écroulée de rires. Émily entend même le (beau) rire de Jérémie. Emma regarde son amie. Si ses yeux étaient des fusils, cette dernière serait déjà une passoire. C'est une fusillade en règle. Mais Émily ne lâche pas prise.

— PETIT POUSSIN ! Tu n'es pas un petit poussin COMME LES AUTRES. En fait, tu n'es pas un VRAI petit poussin. Comprends-tu ?

— Piit piit piit.

— Tu es un poussin SPÉCIAL ! Qui PARLE !!!

— PIIT PIIT PIIT, hurle Emma. PIIT PIIT PIIT ??? !!!

Dans le local, c'est l'hilarité générale. Le gazou qui annonce la fin de l'improvisation résonne enfin, et tous les élèves applaudissent chaleureusement.

— C'EST ÇA QUE JE FAISAIS, PARLER!!! crie Emma. JE PARLAIS EN POUSSIN!!!

— On passe au vote! annonce le préfet Pomerleau.

Presque toute la classe lève le carton vert. C'est celui de l'équipe d'Emma et d'Émily. Elles ont le point!!!

— Bravo, les filles, dit leur entraîneur. C'était vraiment très drôle! Super bonne idée, le poussin têtu!

— Je comprends rien, glisse Emma à l'oreille d'Émily. On a gagné?

— Oui, Emma. Je pense qu'on a été drôles…

Jérémie les regarde en secouant la tête et leur fait un clin d'œil.

«OH… MON… DIEU!

«Il a fait un clin d'œil. Il n'est donc plus fâché.»

On dirait qu'Émily entend des oiseaux. Une fontaine. Des clochettes…

Attendez.

Elle entend RÉELLEMENT des oiseaux, une fontaine, des clochettes!

— Vous entendez présentement le fond sonore de la prochaine improvisation, déclare Pomerleau. Il s'agit d'une impro sonore. Le thème est «Lune de miel». Durée de l'improvisation : une minute. Vous avez trente secondes de préparation. Hop.

Émily et Emma peuvent relaxer. Elles viennent d'aller sur scène, alors elles savent que ce sera au tour d'autres membres de leur équipe.

— J'ai été drôle ? demande Emma.

— En fait, oui, tu étais drôle, répond Émily. Tu avais l'air tellement paniquée que les autres ont pensé que c'était le POUSSIN qui était paniqué. Et un poussin paniqué, c'est drôle.

— Je pense que je comprends pas du tout comment ça marche.

— C'est pas grave, Emma. On a fait un point.

— Oui, mais moi, dans la vie, j'aime COMPRENDRE.

Le gazou sonne la fin de la période de préparation. Et c'est Elton Chung qui saute sur la scène. Il est SEUL. Seul sur la scène pendant une minute ! C'est du suicide théâtral ! Pour un nouveau de première secondaire en plus ! Ce sera ÉPOUVANTABLE ! D'autant plus qu'Émily et Emma savent très bien pourquoi Elton a choisi de faire de l'improvisation : parce qu'EMMA s'y est inscrite.

On entend de nouveau les oiseaux, la fontaine et les clochettes. Elton prend une grande respiration et commence à parler :

— Je suis, heu, amoureux, c'est, heu, vraiment téteux, c'est, hum, pas original, je suis pas (tousse) quelqu'un de spécial.

La classe sourit. Personne n'ose croire qu'il va faire toute son improvisation en vers. Ça serait vraiment trop fort. Mais Elton continue :

— Je suis, heu, assis à la fontaine, je viens, ouin, toutes les semaines, heu, me regarder dans l'eau, heu, ah, j'espère devenir beau. Eille, combien de temps au chrono ? Heu… Fais-moi donc signe, Pomerleau.

La classe siffle. Le préfet Pomerleau applaudit pour saluer la prouesse et surtout le courage de l'élève de première secondaire. Puis il lui montre quatre doigts. Autrement dit, il reste un gros « quarante secondes ». C'est TRÈS LONG quand on est seul en scène pour une improvisation.

— Il en reste quarante ? Heu, et les oiseaux chantent. Héhé. Heu, je suis en lune de miel. Heu, mais pas avec une fille. Juste avec le ciel.

Les élèves sifflent de plus belle.

— C'est moins compliqué, hum, qu'une fiancée. Heu. Mais moins doux, hé, et moi je suis amoureux fou. Heu… Mais bon, je suis seul ici. Et je m'ennuie. Heu. Parce qu'aucune fille, fille, est assez gentille, oui, hum, pour que l'amour résonne dans le cœur du triste Elton.

Le gazou retentit et tous les élèves se lèvent d'un bond pour applaudir en criant. Emma et Émily sont abasourdies.

— WOW ! Mais il est donc ben *HOT*, lui ? ! s'exclame Émily.

— Je rêve ! s'exclame Emma en frappant dans ses mains comme un robot, sous le choc.

— Avoue que tu pensais pas qu'Elton était aussi bon en impro, répond Émily en riant.

— Je rêve, répète Emma.

« Un peu plus, et elle refait "piit piit" ! » se dit Émily en souriant.

Émily regarde Jérémie. Il a l'air moins ravi que les autres. Serait-il jaloux ? C'est bien possible, songe-t-elle. Jérémie a la réputation d'être EXCELLENT en improvisation. Or, il vient de se faire un peu éclipser. C'est vrai qu'il faudra être particulièrement fort pour battre la performance d'Elton. Et c'est justement lui qui monte sur la patinoire. Seul, lui aussi.

« Ce sera donc carrément un duel », pense Émily.

Les oiseaux, la fontaine et les clochettes se font de nouveau entendre.

Alors, Jérémie fait l'inverse d'Elton. Il choisit de ne pas parler. Il commence son improvisation en mimant un homme assis à la fontaine qui semble regarder une fiancée imaginaire. Il faut admettre qu'il est très drôle. Ses mimiques sont très réussies et il fait déjà rire toute la classe.

C'est alors qu'il change de place et devient la fiancée. Il imite une fille qui bat des cils, qui lisse sa robe, qui enlève un petit caillou dans son soulier… C'est DÉSOPILANT. Émily est subjuguée. Jérémie a vraiment un don pour le théâtre, c'est évident.

Il reprend la place du fiancé qui semble voir passer une fille imaginaire. Il arrondit les yeux, montre qu'il la trouve jolie. Puis il reprend la place de la fiancée qui se fâche. Et ainsi de suite, de plus en plus vite. Jérémie prend la place de l'un et l'autre, qui commencent à se disputer franchement. La scène est tellement drôle que même Pomerleau a de la difficulté à siffler dans le gazou pour annoncer la fin de la scène.

Les applaudissements fusent encore. Jérémie retourne s'asseoir, en sueur, après avoir reçu une tape sur l'épaule de la part de l'entraîneur.

— WOW ! s'exclame Pomerleau. Nous avons eu droit à deux grandes improvisations solos aujourd'hui. Mes chers amis, on passe au vote.

— Eille ! dit Emma qui brandit un carton bleu, le carton de l'équipe d'Elton. QU'EST-CE QUE TU FAIS LÀ ???

— Je vote jaune ! répond Émily.

— Ben, tu annules mon vote!!

— Ben, toi aussi, tu annules mon vote!

— Oui, mais on voit plus ton carton que le mien!!! Descends ton carton!

— Non!

— Descends ton carton!

— NON!

— Égalité! crie Pomerleau. Un point des deux côtés. Mes félicitations particulièrement à Elton. Pour un nouveau, c'était vraiment courageux.

— C'est vrai, dit Jérémie qui se lève pour aller lui serrer la main. Pour un *nerd*, c'était vraiment bon.

— Oh, c'est BOA, fait Emma.

— Tiens tiens, tu défends Elton, maintenant? lance Émily.

— Je défends TOUS les intellos. Tu te rappelles?

— Ah oui, c'est vrai.

— Si tu avais baissé ton carton, Elton aurait gagné! Tu te rends compte?

— Je te ferai remarquer que tu as fait un point tout à l'heure. Un point de *nerd* par cours, c'est assez, non?

— Hahahahahaha! Un point de *nerd*, très drôle.

Émily rit aussi. Finalement, son amie et elle se débrouillent très bien dans leurs deux clubs.

Mais elle a soudainement une petite pensée pour William qui est seul dans son club d'escrime. Et elle en oublie pour un instant les beaux yeux de Jérémie.

32.

— Je voudrais travailler sur ma timidité. Et je voudrais aussi améliorer mon chant… heu… sans accompagnement.

Émily est debout devant madame Gentilly. Elle n'a pas encore osé dire à son professeur qu'elle chantera devant toute l'école dans moins d'un mois. Mais rien ne l'empêche de demander des conseils, sans en avoir l'air.

— Que veux-tu dire par « sans accompagnement » ?

— Ben. Sans musique. Juste ma voix.

— Ah. Tu veux dire : a capella.

— Oui.

— Eh bien, utilise les bons mots, *dear*. Pourquoi tu veux travailler le chant a capella ?

— Ben… heu… juste comme ça. Parce que ça m'intéresse.

— Ok. Ça ne devrait pas être un problème, puisque tu as une très bonne oreille. Le principal danger du chant a capella, c'est d'être fausse sans t'en rendre compte. Tu le sais.

— Oui.

— D'accord, on va travailler ça.

— Et la gêne.

— On fait des progrès à ce niveau, non ?

— Oui, oui. Mais… heu… on pourrait pas aller plus vite ?

— Pourquoi, tu es pressée ?

— Ben oui, dans le sens de « j'ai hâte de ne plus être gênée », répond Émily en se sentant plaquer du nez.

— *Yeah right*. Ok, on va régler ça. Mets ton manteau. On sort.

Émily enfile son imper sans comprendre. Madame Gentilly donne toujours ses leçons dans son salon. Elle n'est jamais sortie de chez elle en pleine leçon. Mais voilà qu'Émily doit la suivre sur le trottoir, jusqu'à une clinique qui fait le coin de la rue.

« Une clinique ? »

Qu'est-ce que c'est que cette histoire ? Il est vrai que madame Gentilly a beaucoup de peine à se déplacer avec sa canne. Peut-être s'est-elle blessée en marchant avec Émily vers l'endroit mystérieux où elle voulait l'emmener…

Madame Gentilly ouvre la porte de la clinique, entre dans la salle d'attente bondée et s'adresse aux gens qui s'y trouvent d'une voix étonnamment forte pour une femme de son âge.

« QUOI, QUOI, QUOI??? »

— Mesdames et messieurs, bonjour! Le programme d'aide aux étudiants en musique vous offre aujourd'hui un mini-concert donné par une des plus prometteuses chanteuses de la relève. Elle va chanter devant vous gratuitement, en espérant rendre votre attente plus agréable. Je vous présente Émily Faubert. Vas-y, Émily.

« DE QUOI?!!

« QU'EST-CE QU'ELLE FAIT???

« OH… MON… DIEU!! »

Tous les regards sont rivés sur elle, étonnés. « Ça y est, c'est le jour officiel de ma mort, se dit Émily. Et je n'aurai même pas eu la chance de chanter à la soirée Amateurs. Je lègue tout à Emma. Je te dis adieu, lumière aimée. »

Mais citer le texte d'Iphigénie (vive l'examen de français!) ne change rien. Tout le monde la regarde en écarquillant les yeux. Tout le monde attend qu'elle chante. Au fond de la salle, un bébé pleure à se faire éclater les poumons. Émily veut tuer madame Gentilly. Lui faire avaler son chignon.

« C'est IMPOSSIBLE de chanter ici!

« IMPOSSIBLE. »

Mais Émily remarque alors qu'une dame enceinte, assise tout près d'elle, lui sourit. « Chante », semble-t-elle lui dire. Un peu plus loin, un homme se tient la tête à deux mains. Peut-être qu'en chantant, elle le soulagera un peu…

« Ok, se dit-elle. Je vais y arriver. Je vais y arriver. »

Émily prend une première inspiration profonde. Elle sait qu'elle doit stabiliser sa respiration avant de pousser la première note. Il ne faut pas se blesser les cordes vocales en voulant chanter fort. D'ailleurs, madame Gentilly vient de lui montrer le grand pouvoir d'une voix bien placée en laissant la sienne résonner dans toute la salle d'attente.

« Le BOA Gentilly… »

Émily se concentre quelques secondes et commence à chanter. Elle a choisi d'interpréter *Who Says* de Selena Gomez parce que c'est pour elle une chanson réconfortante. Et quand on est malade, eh bien, on veut être réconforté.

Les premières notes sont désastreuses. On dirait le bêlement d'un mouton qui s'est pris la tête dans une clôture de barbelés. Une espèce de « laaaaaaaaaaaaaaaaaaa iiiiiaaaaaaaaaaaaaaaa » affreux.

« Je dois être morte, se dit Émily. Et ici, c'est l'enfer. Où est le diable ? Ah oui. C'est vrai. C'est Ann Gentilly. »

Mais, peu à peu, sa voix se stabilise. « Si je suis capable de chanter dans un salon, je peux chanter ici, songe-t-elle. C'est la même chose. La même gorge. La même voix. Le même corps. » Elle se rappelle alors du truc que lui a donné madame Gentilly : « Concentre-toi sur l'environnement. Les objets autour de toi. Reviens sur terre. »

Émily prend une mèche de ses cheveux, puisqu'il n'y a rien d'autre autour d'elle qu'elle pourrait tenir entre ses doigts. Elle tortille la mèche autour de son index tout en chantant. Tiens, ça lui donne un petit air espiègle. Elle accentue le geste. Sa voix se fait plus chaude. Ça y est, ça y est.

La dame enceinte a posé ses mains sur son ventre. Et, miracle, le bébé du fond arrête de pleurer. Émily a les jambes en coton, ses mains sont tellement moites que la sueur doit en couler par terre et faire une petite flaque. Mais sa voix monte et descend, comme une respiration, comme le courant de l'eau.

Petit à petit, Émily se sent plus solide. La gêne la quitte progressivement. Elle n'ose pas trop regarder les gens dans les yeux, mais elle sent que plusieurs d'entre eux la regardent.

« Plaisir, se dit-elle. Plaisir. »

Elle lâche la mèche de cheveux et décide de plonger ses yeux dans ceux des gens devant elle. Certains lui sourient. Même l'homme qui tout à l'heure se tenait la tête à deux mains la regarde. Il est blanc comme un fantôme… mais il sourit. Émily lui rend son sourire. Et commence à se déhancher un peu.

Un petit garçon tape bientôt dans ses mains. Il est imité par un vieil homme qui porte un drôle de chapeau. Et par une femme qui a posé sur ses genoux la revue qu'elle lisait. Ils sont maintenant des dizaines à frapper dans leurs mains et Émily se sent pousser des ailes. Une infirmière entre alors dans la salle d'attente avec ses dossiers et s'arrête, surprise, avant de sourire elle aussi à la jeune chanteuse.

« Mon premier public », pense Émily.

« Un public difficile, songe quant à elle Ann Gentilly. Un public malade, qui n'a certainement pas envie d'écouter de la musique. Et cette petite l'a charmé en quelques secondes avec une chanson somme toute ordinaire. Un jour, plus rien ne l'arrêtera. Et le monde lui appartiendra. »

Mais Émily ne lit pas dans la tête de son professeur. Elle lance ses mots et ses notes dans la salle d'attente, réjouie.

« Tu vas voir, Jérémie Granger. Tu vas voir ce que tu vas voir. »

33.

— C'est vraiment le roi des tarlas! dit William.

— Des gnoufs! ajoute Emma.

Les trois amis sont dans le solarium d'Émily et n'ont pas le cœur à jouer à la PlayStation. William a appris un peu plus tôt à Émily et à Emma que Jérémie a décidé d'ajouter une chanteuse au groupe pour le spectacle de la soirée Amateurs. Ils vont jouer *I Gotta Feeling* et Jérémie voulait quelqu'un pour faire la voix de Fergie.

Une CHANTEUSE.

Et cette chanteuse, eh bien, c'est MAUD.

MAUD TRAHAN.

— C'est même pas une chanteuse, poursuit William. C'est vrai qu'elle est belle et que ça donne de la gueule au groupe, mais, au niveau musical, elle est vraiment NULLE.

Émily ressent un tournimini dans le ventre. Non seulement elle est atterrée de savoir que Maud va chanter dans le groupe de Jérémie, mais elle est attristée d'entendre que même William la trouve… belle.

— Jérémie doit être amoureux d'elle. J'avais raison! dit-elle. Il l'a pas oubliée depuis le bec à Noël.

— Ben non, Émily, fait William. Il l'a prise dans le groupe juste pour se rapprocher de son père. C'est tout.

— BEN OUI! renchérit Emma. C'est sans doute pour ça aussi qu'il l'a embrassée à Noël. J'avais jamais pensé à ça!!!

— Ben non, proteste Émily, déprimée.

— Ben oui, Émily! Jérémie, il aime ça, être une vedette. C'est la vedette de l'improvisation, la vedette de l'école à cause de sa pub, il aime être devant un public. Il veut être CÉLÈBRE. Et qui peut l'aider à réaliser ce rêve?

— Luc Trahan, répond William.

— Ouin, lâche Émily. Mais toi-même tu l'as dit, William. Maud, elle est BELLE. Tous les gars sont amoureux d'elle. Jérémie est pas l'exception.

— TOUS les gars ne sont pas amoureux d'elle, rétorque William. C'est vrai qu'elle est belle, mais elle est pas intéressante.

— Pis!? Ça compte pas.

— Ben oui, ça compte. Pour moi, en tout cas, ça compte.

— Bof.

— Regarde-moi, dit Emma en souriant. Je suis pas super belle. Mais je suis intéressante ! Et William est FOU de moi.

— C'est vrai, concède William en riant.

— Ce serait plutôt Chung, lance Émily.

Emma rougit. William fait un clin d'œil à Émily.

— En tout cas, c'est vraiment *BAD*.

— On va avoir l'air débile, marmonne William. Elle chante pas bien pantoute. Et elle a de la difficulté à suivre mes changements de rythme.

— Et Jérémie ne dit rien ? demande Emma.

— Ben, ça paraît qu'il se retient. Il voulait vraiment une chanteuse pour le look du groupe. Et puis, comme dit Emma, il se rapproche de Trahan en faisant ça.

— Tu lui as pas suggéré de prendre Émily à la place, s'il tenait à avoir une chanteuse ?

— OUI ! C'est la première chose que j'ai faite ! Mais il m'a ri au visage.

— Ah, super, grince Émily.

— Mais c'est ta faute aussi, Émily, dit William doucement. Tu veux jamais chanter devant le monde. Alors, personne ne sait que tu sais chanter.

— C'est vrai, approuve Emma.

— Ben, c'est ça ! Ça va devenir ma faute si Maud Trahan chante dans le groupe.

— C'est pas ce que j'ai dit, mais…

— AAAAAAAAAAAAAH.

Émily a lancé par terre la manette de PlayStation.

« Elle est vraiment trop émotive », pense Emma.

— On devrait aller dehors un peu, suggère alors William. Ça nous défoulerait. Eh, que j'ai hâte que le *skatepark* soit de nouveau ouvert !

— Bof, t'aimes ça, toi, rouler pendant des heures sur une demi-lune ? lance Émily.

— T'es pas obligée d'être bête, Émily, dit Emma.

— Excuse-moi, grogne Émily. Mais c'est tellement… INJUSTE !

— Dis-toi que tu prends au moins ta revanche, déclare William. Tu chantes juste après nous. Tu vas lui en mettre plein les dents.

« C'est vrai, se dit Émily. Mais je peux aussi complètement m'humilier en chantant après elle SANS GROUPE, alors qu'elle, elle aura eu UN GROUPE. »

De: Émily Faubert (emilfaubert@hotmail.com)
À: Alain Faubert (alain.faubert@yahoo.ca)
Objet: ☹

> Salut, Alain,
> Je viens d'apprendre que la plus belle fille de
> l'école va chanter dans le groupe de Jérémie à la
> soirée Amateurs.
>
> C'est vraiment BAD.
>
> JE CAPOTE.

De: Alain Faubert (alain.faubert@yahoo.ca)
À: Émily Faubert (emilfaubert@hotmail.com)
Objet: Re: ☹

> C'est toi la plus belle. Demande à ton ami William.
>
> Alain

De: Émily Faubert (emilfaubert@hotmail.com)
À: Alain Faubert (alain.faubert@yahoo.ca)
Objet: RE: RE: ☹

> Hem. LE LIEN SVP???

SOIRÉE AMATEURS

Le pensionnat Saint-Preux
vous invite à sa traditionnelle soirée Amateurs
qui réunit les élèves les plus talentueux
de tous les cycles en une seule
et inoubliable soirée.

Plusieurs artistes y ont d'ailleurs
fait leurs humbles débuts avant de connaître
leur succès actuel.

La soirée de cette année aura lieu
à l'amphithéâtre B,
le vendredi 22 mai à 19 heures.

Un cocktail dînatoire sera offert aux invités
avant la levée du rideau.

Une tenue de soirée est de mise,
et le bon goût doit être à l'ordre du jour.

Merci de réserver vos sièges auprès
du secrétariat du collège (R 101).

Au plaisir de vous y voir !

Le comité de la soirée et la direction

34.

La salle d'escrime impressionne Émily. Elle n'y était jamais venue et ne s'attendait pas à voir un gymnase tout blanc. On dirait un local de yoga ! Mais, au centre, il y a un long tapis métallique. « Est-ce que le tapis est électrifié aussi ? » se demande Émily qui commence à s'inquiéter pour William et qui le cherche du regard.

— C'est MUSTI GÉNIAL ! s'exclame Emma en descendant les gradins. Je n'avais jamais vu de combats d'escrime. Sauf dans les films !

L'espace réservé au public surplombe le gymnase, qui ne compte que les concurrents et les officiels. Une vingtaine d'escrimeurs habillés en blanc attendent, assis sur des bancs. Ils portent tous la sous-cuirasse, la veste électrifiée et le pantalon réglementaires, et tiennent leur masque et leurs gants sur leurs genoux. Émily remarque qu'il est inscrit « Saint-Preux » en bleu dans le dos de certains d'entre eux.

Les gradins sont pleins, et les deux amies sautent sur les deux premières places libres qu'elles trouvent. Elles n'ont jamais vu William combattre, puisque les entraînements du club sont interdits au public. Or, il s'agit aujourd'hui du tournoi interécoles municipal qui a lieu chaque année au mois de mai, et William fait partie des représentants de Saint-Preux.

— IL EST LÀ ! crie Emma en pointant du doigt le banc de gauche.

William est assis avec les autres et discute avec son voisin. Il a l'air très concentré. Émily est surprise de voir à quel point l'équipement de ce sport est… ÉLÉGANT. Et il met en valeur le corps droit et musclé de son ami.

— Il triture ses gants de cuir, poursuit Emma. Il est nerveux.

— Ou alors il est embêté d'avoir à parler au voisin, rigole Émily.

— Hahahaha, ouais !

Biceps-Triceps va au micro, et le silence se fait dans le gymnase et les gradins.

— Bonjour à tous ! beugle-t-il.

« On dirait que même sa voix est musclée ! » songe Émily.

— Bienvenue à nos visiteurs des collèges Saint-Alexandre, Pères-Jésuites et Mère-Eulalie…

Le public dans les gradins crie. Il est facile de voir où sont les supporteurs de chaque école, parce qu'ils se tiennent en bande et essaient de remporter le concours de l'école qui hurle le plus fort.

— Nous avons le plaisir de vous recevoir pour ce traditionnel tournoi interécoles, continue Biceps-Triceps alors que la foule semble se calmer un peu. Bienvenue aux supporteurs. Vous verrez cet après-midi des assauts au fleuret, à l'épée et au sabre.

— Des assauts?… chuchote Émily, inquiète.

— Chut.

— Nous vous demandons de garder le silence pendant les assauts et lors des touches, et, surtout, de réserver vos encouragements et applaudissements pour les pauses entre les poules.

— Les poules? murmure Émily à l'oreille de son amie.

— Les manches!

— Les manches?

— Les périodes!! répond Emma, excédée.

— Ah! Ben, fallait le dire comme il faut, *dear*.

— Nous allons commencer par un premier assaut au fleuret entre monsieur Carl Dumontier, représentant du pensionnat Saint-Preux, et monsieur Vincent Tagliati, du collège Saint-Alexandre. Messieurs, veuillez prendre place.

Émily regarde William qui lève les yeux vers les gradins. Elle lui fait de grands signes. Le garçon repère ses deux amies et sourit.

— William est-il lui aussi au fleuret ? demande Emma.

— Oui, je pense…

Chacun des joueurs s'avance vers le tapis métallisé et entame le cérémonial de salutation de l'adversaire et de l'arbitre. Ils enfilent ensuite leur masque grillagé, leurs gants de cuir et prennent la position de garde, fleurets levés à la hauteur de la taille et tendus vers l'avant, bras en l'air.

— C'est tellement impressionnant ! chuchote Émily. On dirait des chevaliers en cotte de mailles, comme au Moyen Âge !

— Ouiiiiiiiiiiiiiiiiiiiiiiiii, répond Emma.

— Où est l'électricité ?

— Dans leur veste, je pense.

— OH… MON… DIEU !

— Mais ils peuvent pas s'électrocuter, Émily. Relaxe. C'est juste pour compter les points.

— N'empêche. En plus, c'est super pointu, ce truc.

— On dit un « fleuret », Émily ! Imagine quand c'est au SABRE !

« OH… MON… DIEU !

« J'espère que William combat au fleuret et pas au sabre », se dit Émily.

L'assaut commence. Il règne un silence respectueux dans tout le gymnase et les gradins.

« C'est vraiment très beau à voir, songe Émily en voyant les fleurets voler dans les airs. Ça ressemble aux arts martiaux, mais avec une touche de chevalerie. Ne manquent que les chevaux, en fait. Et la princesse à délivrer. Hahahaha ! »

Les deux premiers assauts ne durent que trois minutes, mais chaque fois qu'un escrimeur fait une touche sur son adversaire, on entend une alarme. C'est très très TRÈS stressant.

— Ils vont se faire mal !... dit Émily en bougeant les lèvres sans émettre un son.

— Ben non, répond Emma en utilisant la même technique.

— Tout d'un coup qu'ils suent et que la sueur entre en contact avec l'électricité de la veste ?...

— Quoi ? fait Emma.

— Tout... d'un... coup... qu'ils... suent... et... que...

Mais la série de trois assauts est terminée et le public, dans les gradins, applaudit à tout rompre. Saint-Preux est en tête.

— J'ai dit : tout d'un coup qu'ils suent et que la sueur entre en contact avec l'électricité de la veste ?

— Ben, je pense pas que ce soit dangereux. Ils portent une sous-cuirasse en dessous.

— Mais quand même! Et puis, le masque grillagé pourrait se briser et le joueur pourrait recevoir l'épée dans l'œil!

— Le fleuret!

— Le truc!

— RELAXE, Émily. Regarde, c'est à SON TOUR, je pense!!!

William s'est effectivement levé et se dirige vers le tapis métallique avec son masque sous le bras et son fleuret («OUF, c'est un fleuret!»). Il porte des espadrilles Adidas blanc et noir qu'Émily n'avait jamais vues. Elle doit reconnaître qu'il est vraiment séduisant avec tout cet équipement.

— C'est le plus beau de tout le gymnase! s'exclame d'ailleurs Emma.

— Emma! Franchement!

— Tu trouves pas?

— Ben, c'est notre ami!

— Je le SAIS! Je dis pas que j'ai un *kick* dessus! Je dis juste qu'il est BEAU.

En fait, Émily ne s'est jamais interrogée sur le pouvoir de séduction de William. Or, le public féminin des gradins se met à applaudir et à siffler quand Biceps-Triceps annonce son nom.

— Eille! Il a donc ben des amis qu'on connaît pas, lui! souffle Émily.

— C'est ce que je te disais! Il est OBJECTI-VEMENT très beau.

Mais William éclate de rire en entendant les réactions (nettement exagérées selon Émily) qui fusent des gradins. Il prend place devant un certain Miguel Ferreira, exécute la salutation, enfile le masque et prend la position de garde.

Émily est pétrifiée.

Et s'il se faisait mal?!

L'assaut commence et les deux escrimeurs prennent le temps de se jauger avant de commencer les touches. Le niveau de jeu est nettement supérieur à celui de l'assaut précédent. Émily se dit que les niveaux de difficulté doivent augmenter pendant le tournoi.

Ça y est! William a fait une touche. Émily crie.

— CHUUUUUUT!!! font TOUS les spectacteurs.

«Flûte», songe Émily.

Emma se tient les genoux, recroquevillée sur elle-même. On dirait qu'elle se trouve dans un avion sur le point de s'écraser. Elle garde les yeux rivés sur leur ami en espérant que le cri d'Émily ne l'a pas déconcentré. Mais il enfile bientôt une deuxième, puis une troisième touche, ce qui met fin à l'assaut.

— Reste tranquille, ordonne Emma à son amie en mimant les mots avec sa bouche.

— Oui, oui, répond Émily de la même façon.

Elle voit William lever sa tête encapuchonnée vers les gradins. Elle lui fait alors un signe d'excuse. Mais il lève le pouce dans son gant de cuir. Les spectateurs autour d'Émily tournent tous la tête vers elle, ce qui est plutôt gênant.

Puis les deux assauts suivants ont lieu. Son adversaire domine facilement le jeu durant le premier. Émily a presque les lèvres en sang à force de se les mordre. Emma écarquille les yeux et tressaute à chaque touche.

— Il va perdre, fait-elle avec ses lèvres, attristée.

Mais William ne semble pas s'en faire. Au troisième assaut, il choisit d'effectuer des feintes en appel (en frappant le sol du pied pour déstabiliser Ferreira). Il pratique le coup d'estoc, puis un contre-coupé... pour finalement remporter le troisième assaut.

Émily et Emma profitent de la levée du silence pour crier dans les gradins. Emma saute même sur place et reçoit le médaillon de son collier dans le front.

— YÉÉÉÉÉÉÉ! Ayoye! YÉÉÉÉÉÉÉÉ!!

— YÉÉÉÉÉÉÉÉÉÉÉÉÉÉÉ!!!

— WIL-LIAM! WIL-LIAM! WIL-LIAM!

Émily descend des gradins, contourne en courant le gymnase vitré et se rend jusqu'à la porte d'entrée de celui-ci. Elle ne sait pas du tout ce qu'elle fait là. En fait, elle agit sur une impulsion. Elle réalise l'imbécillité de son geste une fois devant la porte du gymnase, dont l'accès est interdit au public.

« Je suis donc ben NIAISEUSE ! » se dit-elle.

Mais William a dû la voir courir par les fenêtres, puisqu'il dépose son masque grillagé près de son sac, à côté des autres membres de l'équipe de Saint-Preux, et se dirige vers la porte. Ses cheveux sont trempés et on dirait que même ses cils dégouttent. Il ouvre la porte et sort pour s'approcher d'Émily.

— Hé ! dit cette dernière, soudainement confuse parce que son geste est… heu… DÉBILE ?

DISPROPORTIONNÉ ?

— Hé, répond William, aussi mal à l'aise qu'elle.

— Heu… qu'est-ce que tu fais ?

— Je m'en vais aux toilettes ! Héhé.

— Oh, oui, héhé ! BRAVO !!! crie Émily en reprenant ses esprits.

« Ben oui, je suis descendue lui dire "Bravo" ! Voilà ! C'est pas compliqué, songe-t-elle. C'est pour ça que j'ai… heu… couru ? »

— J'ai eu tellement peur de t'avoir déconcentré ! dit-elle encore. Quand j'ai crié ! C'était débile, hein ? Et puis, j'avais peur que tu t'électrifies. Que tu t'électrocutes ! En tout cas. Et que le masque brise ! C'est solide, hein, ça ? Parce que c'est vraiment pointu ! Et puis…

Émily ne peut s'arrêter de parler. «ARRÊTE, pense-t-elle. Voyons, ARRÊTE ! Mais qu'est-ce qui se passe ? HÉ HO, c'est WILL ! C'est mon AMI. Celui avec qui je ris en mangeant du poulet au beurre. Celui qui ROTE.

«C'est la faute d'Emma aussi. C'est quoi, l'idée de dire qu'il est le plus beau de l'école ? C'est juste William ! Notre William. Le mono-syllabique.»

Mais William regarde Émily parler en souriant franchement. Puis, lorsqu'elle se tait enfin, il lance :

— Émily, il faut que j'aille aux toilettes.

— Ah, ben oui, scuse. Hahahahaha !

Émily remonte vers les gradins et croise Emma dans les escaliers.

— MAIS QU'EST-CE QUI T'A PRIS ? demande celle-ci en levant les deux mains au ciel. Je me suis retournée et t'étais plus là ! J'avais l'air d'une vraie folle à parler toute seule.

— Heu… j'avais envie.

— Et tu es allée aux toilettes en bas ?

— Heu… oui. Elles sont plus propres. Plus grandes aussi. On est mieux, tsé.

— Tu es allée voir William ? fait Emma d'un air taquin.

— Heu… non!!!

— Tu es AMOUREUSE DE LUI! HAHA-HAHAHA!!! JE LE SAVAIS!!!

— T'es loin, Emma! Vraiment pas!

— Viens-t'en, ça va être les combats à l'épée! Et puis au sabre! répond Emma en entraînant son amie.

Mais Émily est trop confuse pour vraiment apprécier le reste du tournoi, même si les assauts au sabre sont très impressionnants. Elle est d'ailleurs surprise de voir que Valérie, la fille de cinquième secondaire avec qui elle a fait connaissance durant la périodes des examens de Noël, fait partie des escrimeuses. Et c'est de loin la meilleure.

William ne combattra plus; ses assauts sont terminés. Il surgit donc dans les gradins en jeans, avec son gros sac d'équipement sur le dos, et repère Emma et Émily. Il s'assoit sur une marche à côté d'elles et leur fait un salut muet pour ne pas déranger l'assaut en cours.

Dès que l'assaut est terminé, Emma saute presque sur lui.

— WILLIAM! T'étais bon t'étais bon t'étais bon!!!

— Merci! dit-il en triturant la courroie de son sac.

— C'était tellement *NICE*!!!

— Oui, hein?

«Pourquoi doit-il toujours triturer quelque chose?» se demande Émily, attendrie.

— Je veux faire de l'escrime, moi aussi!!!

— Ha ha.

«J'aimerais être la gugusse de la courroie de ton sac.»

— J'aurais dû m'inscrire!

— Eh oui!

«J'aimerais être l'étiquette de ta gugusse!»

— Émily, tu dis rien?

— Oh, ben… heu… oui, BRAVO! C'était… SUPER. Héhé.

Mais bientôt, l'assaut suivant commence et le public doit se taire de nouveau. William et Émily se regardent avec un drôle d'air. William semble se demander ce qui se passe, et Émily sent son cœur faire «boum boum boum bouboum».

«HÉ! Calme-toi, cœur. Tu te trompes, là. C'est pas Jérémie, c'est WILLIAM.»

William lui sourit et forme ces mots avec ses lèvres:

— Tout va bien.

Et Émily réalise que non, tout ne va pas bien. Parce qu'elle vient de tomber amoureuse de son meilleur ami.

«OH… MON… DIEU!

«À cause d'un tournoi d'escrime.

«OH… MON… DIEU!

« C'est minable comme raison.

« FRANCHEMENT.

« On ne tombe pas amoureux des gens à cause d'un TOURNOI.

« Ah bon ?

« Et on peut tomber amoureux à cause d'une PUB ?

« Hum. »

35.

Je veux tout, toi et les autres aussi
Aux quatre coins de ma vie
Sur les cœurs, il n'y a pas de prix
Je veux tout, tout de suite et ici.
— Ariane Moffatt, *Je veux tout*

Émily ne sent plus ses jambes. Ne sent plus ses bras. Ne sent plus son nez (plaqué).

Elle est assise dans la coulisse que se partagent les artistes de la soirée Amateurs et croit qu'elle va vomir son jus de raisin. Elle aurait dû en boire un peu moins pendant le cocktail dînatoire, se dit-elle. Mais ça lui donnait un air dégagé, assuré. Dès qu'une vague de stress la submergeait, HOP! une petite gorgée.

« Et si j'avais un trou de mémoire ? » HOP! une petite gorgée.

« Et si je n'avais plus de voix ? » HOP ! une petite gorgée.

« Et si je m'évanouissais devant tout le monde ? » HOP ! HOP ! HOP !

Il faut dire que les dernières semaines ont été EXTRÊMEMENT angoissantes. D'une part, elle a dû choisir la chanson qu'elle allait chanter a capella ce soir et la répéter plusieurs fois par jour devant Emma. Elle a choisi *Please Don't Stop the Music* de Rihanna parce que tant qu'à y être, ben, elle se fera plaisir.

D'autre part, il a fallu gérer les immenses bouffées de chaleur qu'elle ressent en présence de William (c'est-à-dire presque tout le temps) sans qu'il s'en aperçoive. C'est très difficile parce que William la regarde souvent. TRÈS souvent. Et sans parler, bien sûr.

« TOP compliqué à déchiffrer. »

Mais maintenant qu'elle se sent pétiller de trac, elle voudrait qu'il soit là. « Oh ! William ! Viens ici. Viens ici. »

Mais William est avec le groupe de Jérémie et de Maud. Le BOA Trahan. Le BOAHAN. Qui porte une robe entièrement en cuir. Et qui ne semble pas avoir le trac du tout.

Émily traverse le couloir qui longe l'arrière de l'amphithéâtre jusqu'aux loges du côté jardin. Elle entend la saynète humoristique qui se déroule sur la scène et ressent un frisson de panique à chaque rire du public. Elle repère William à côté de Jérémie et l'agrippe par la manche.

— Ok, on oublie le pari, dit-elle très rapidement. Je le ferai pas. Je le ferai pas, William. C'est trop dur, ce que tu m'as demandé. J'abandonne.

— Oh, Émily.

— Je te le dis.

Jérémie s'approche alors et lui adresse un sourire insolent. Il porte sa guitare en bandoulière et n'a jamais été aussi… sexy.

— Alors, Nikki, tu lâches la soirée ?

— Viens, lui lance William qui l'entraîne un peu plus loin en la tirant par la main.

Devant le faux mur, un élément de décor laissé là depuis le début de la soirée, William plante ses yeux verts dans les yeux d'Émily, sans lui lâcher la main.

— Moi, je sais ce que tu vaux, lui murmure-t-il. Et même si tu ne chantes pas ce soir, je SAIS que tu peux tous les épater. Mais c'est ton choix, maintenant. Oublie le pari. C'est pas une question de pari. C'est une question de… eh ben, de choisir ce que tu veux dans la vie. Et si, dans la vie, tu veux aller t'asseoir dans la salle comme tous les autres, eh bien, fais-le. Pour moi, tu restes une chanteuse pareil. Ça change rien. Tu comprends ? J'ai fait ça pour t'aider à voir ce que tu veux vraiment. C'est tout. Parce que… je suis amoureux de toi, Émily.

William n'a jamais tant parlé. Il prend même une grande respiration pour s'en remettre, ce qui fait presque rire Émily. Dans un élan, sans se poser de question, elle se love entre ses bras. On dirait que cet endroit est fait pour elle. Elle a envie d'y rester toute la vie.

« MON DIEU, se dit-elle. ÇA Y EST ! »

Et elle ne parle pas de la soirée Amateurs. Elle parle de son premier « avant-bec ». Parce que c'est ce qui est en train d'arriver. Elle est dans un « avant-bec ». Et au contraire de ce qu'elle avait toujours cru, elle n'est pas inquiète.

« Wow !

« Quand je vais dire ça à Emma ! ! ! !

« Wow !

« JE SUIS EN TRAIN D'EMBRASSER.

« C'est vraiment poche d'être en train de me dire que je suis en train d'embrasser pendant que j'embrasse.

« Est-ce que tout le monde se dit ça pendant le premier bec ?

« Je suis réellement en train d'embrasser.

« Mon meilleur ami.

« Wow !

« Quand est-ce qu'on arrête ??? »

Mais c'est William qui se détache d'elle le premier.

— Heu… Émily, on passe vraiment bientôt. Je… Héhé. C'est vraiment *bad*.

— Oh ben oui! HAHAHAHAHA!

— HAHAHAHA!

— Ok.

— Ok.

— Ok, répète Émily.

Elle retourne en courant dans les loges, côté cour. Elle vient de comprendre ce que voulait dire madame Gentilly avec son image de petit chien qui saute dans des cerceaux. Elle ne voulait pas dire qu'Émily ne doit pas être sage. Elle voulait dire qu'elle doit prendre des risques. Comme William vient de le faire. Comme prendre le risque d'être ridicule devant toute l'école au lieu d'aller sagement s'asseoir dans la salle avec les autres spectateurs.

Voilà ce que ça veut dire, de ne pas être un simple bon petit chien. Prendre des risques.

Et ce risque, Émily va le prendre. Oh oui.

Elle entend les premières mesures de la chanson *I Gotta Feeling*. C'est un fait, Maud fausse un peu. Mais c'est quand même moins pire que ce qu'elle s'était imaginé. Elle entend le rythme de la batterie de William et ça la réconforte. Elle se concentre sur sa respiration.

Elle n'aura pas la chance de le faire une fois sur scène. Elle doit être PRÊTE.

Voilà. C'est son tour. Elle entend les applaudissements destinés au groupe. Ils sont nourris. William sera content.

Émily entend ensuite son nom, puis elle s'avance sur la scène.

Mais reste figée là. Qu'est-ce qui lui a pris de choisir cette chanson? C'est INCHANTABLE sans musique. Pourquoi Emma ne le lui a pas dit?

« OH… MON… DIEU! »

Quelqu'un tousse dans le public.

C'est HORRIBLEMENT gênant. Le pire malaise qui existe au monde. Pire que pire. Le public commence à murmurer.

C'est la honte.

Elle parcourt la salle du regard à la recherche de quelque chose dans son environnement, comme le recommande toujours madame Gentilly. Et c'est… MADAME GENTILLY!!! Dans la troisième rangée. Avec son immonde chignon. Et sa robe japonaise rouge. Assise à côté d'Alain, qui lève les deux pouces.

« Madame Gentilly a l'air EXCÉDÉE. Hahahahahahaha. »

Puis Émily entend la voix de Jérémie qui crie:

— Allez, Nikki! Allez, Nikki Pop!

Elle est seule sur scène. C'est le moment de lui en mettre plein la vue, dans sa petite jupe noire Ralph Lauren. C'est vrai qu'elle aurait pu porter quelque chose de plus… excentrique. Tant qu'à prendre un risque.

Mais ce sera pour la prochaine fois. Elle inspire profondément… et lance sa chanson. Sans musique. Sans accompagnement. A capella. Elle la lance comme on lance une bouteille à la mer. « Attrapez-la si vous la voulez. Sinon, tant pis. Ça, c'est moi. »

Le public écarquille les yeux devant l'audace de l'adolescente. Elle pense à Elton Chung. Il devait se sentir comme elle, le jour où il a fait son impro solo. Elle a hâte de lui en parler. Elle sent qu'elle pourrait devenir amie avec lui, maintenant. Compagnons d'adrénaline. Le club de ceux qui prennent des risques.

Bientôt, quelqu'un siffle pour l'encourager. Suivi d'un autre. Et d'un autre. Émily sent la salle remuer sous sa voix. Elle les tient. Comme elle tenait les gens de la clinique. Elle prend de l'assurance. Commence à s'amuser. À faire des folies. Elle se déhanche, les cheveux devant le visage, elle danse seule sur la scène avec sa voix. Comme sur son lit. Sauf que, cette fois, c'est un vrai micro. Et non une brosse à cheveux.

Le public frappe des mains. Soudain, elle entend des accords de guitare électrique.

« DE QUOI ? ! ! »

La foule est exaltée par ce revirement de situation. Émily se retourne pour voir Jérémie Granger lui faire un clin d'œil. Il a décidé de sauter sur la scène et de brancher sa guitare pour l'accompagner. « TROP GÉNIAL ! ! » Émily trépigne en chantant. Elle se permet quelques improvisations et Jérémie, qui s'approche, la suit parfaitement. Elle joue le jeu. Les deux musiciens se répondent. Le public crie de plus belle.

« C'EST DU DÉLIRE, se dit-elle.

« JE SUIS EN TRAIN DE RÊVER. »

Mais non. Émily, cette élève de première secondaire, fait un tabac dans l'auditorium du pensionnat Saint-Preux. Elle sent ses oreilles bourdonner. Sa tête et son coeur vont éclater. Jérémie commence alors à jouer d'une façon plus suggestive. En fait, il installe ouvertement un climat de drague. Émily décide de suivre le mouvement, devient langoureuse. La vérité, c'est qu'elle s'amuse comme une folle dans ce rôle d'aguicheuse. Elle est tout à coup tellement différente de ce qu'elle est dans la vie.

C'est donc ça, le plaisir de la scène ? Pouvoir prendre le visage que l'on veut ? Réaliser ses rêves ? Devenir quelqu'un d'extraordinaire ? Émily et Jérémie terminent le numéro collés l'un contre l'autre devant un public en extase.

Et Jérémie embrasse Émily… devant TOUT LE MONDE.

TROP TROP FOU!

ELLE EMBRASSE PISCINE PLUS!

Toute la salle se lève. Émily a les jambes tremblantes, le micro pend au bout de sa main pendant qu'elle rit à gorge déployée devant tant de bonheur concentré. «Ça y est. Ça y est. Je l'ai fait», songe-t-elle en saluant une foule qui en redemande.

Et les applaudissements et les sifflements semblent ne jamais vouloir s'arrêter.

Mais la soirée doit continuer et Émily descend de scène, comme dans un rêve. Emma se jette sur elle et la fait presque tomber à la renverse.

— ÉMILY!!! Avec JÉRÉMIE???

— JE SAIS! JE COMPRENDS PAS!!! hurle Émily en s'essuyant le front.

— Le public CAPOTAIT pendant que tu chantais. Tu aurais pu faire du VRAI *body-surf*!!! T'avais pas besoin de sa guitare, à lui!

Émily voit sa mère lui faire de grands signes derrière Alain. Et madame Gentilly sourit! Enfin, un peu. Elle a un coin de la bouche qui sourit.

— Où est William? demande Emma.

— Je sais pas. Dans les coulisses encore, peut-être, mais…

— Il faudrait que tu trouves William…

— Oui oui…

— Mademoiselle? dit un homme en lui prenant l'épaule.

« Mais.

« Mais.

« C'est…

« OH… MON… DIEU!

« LUC TRAHAN!

« Le vrai.

« L'agent de Lola Smith.

« Celui qu'on voit toujours dans la revue *Fun Fun*. »

— C'est très rare que je fais ça, mais j'aimerais vraiment vous parler. Vous êtes dans la classe de ma fille, je crois.

— Oui, répond Émily en écarquillant les yeux.

— Est-ce que vous comptez faire carrière, mademoiselle…

— Nikki, fait Émily en souriant. Nikki Pop.

— Hahaha. J'aime ça! Ça sonne bien! Eh bien, mademoiselle Nikki Pop, je suis enchanté! lui déclare-t-il en lui tendant sa carte. Donnez-moi un coup de fil, voulez-vous? Je pense qu'on devrait se parler un peu.

— Ok. Cool, lâche Émily en le regardant regagner sa place.

« C'est tout ce que tu trouves à dire, "cool"? » se dit-elle.

— AAAAAAAH??? crie Emma.

— AAAAAAH??? répond Émily en brandissant le bout de carton.

— Nooooon?!!

— OUI!!!

Elles n'ont pas le temps de crier davantage en sautant sur place, le prochain numéro commence. On fait signe aux deux amies complètement hystériques de reprendre leurs sièges.

— Trouve William, ordonne Emma avant de se rasseoir.

Émily se précipite de nouveau dans les coulisses à sa recherche. Elle a les joues en feu. Le corps en feu. Ce qui lui arrive est hallucinant. Mais, en courant, elle sent soudainement le tournimini tournevis mini. Pourquoi? C'est la plus belle soirée de sa vie. C'est le moment le plus EXTRAORDINAIRE de sa vie.

Mais Émily court de plus en plus vite. Le tournevis tourne et tourne. Jérémie semble vouloir lui parler.

— Hé, Nikki, qu'est-ce que Luc Trahan a dit? Hé?

Elle le contourne rapidement. De même que Francis Breton-Cheveux. « OÙ EST WILLIAM? » voudrait-elle crier, alors qu'elle chuchote la question à tout le monde pour ne pas déranger le numéro en cours. Un vent de panique l'emporte. Pourquoi? Pourquoi a-t-elle peur? Émily cherche William, ouvre des portes, court encore. Le tournevis n'en finit plus de tourner.

« Non non non non non non… »

Elle se précipite devant le faux mur où elle a parlé à William il y a quelques minutes à peine. Où elle l'a embrassé. Il y a une éternité. Et elle s'écrase par terre, en larmes.

Devant elle, sur le sol, des baguettes. Dont l'une est munie d'une petite courroie de cuir rouge au bout. Les baguettes de William.

Brisées.

Je tiens à remercier les élèves de l'école Saint-Exupéry de Montréal pour leurs précieux conseils, ainsi que Eugénie Ouimet-Jacques, leur enseignante, pour sa générosité. Sans vous, je dirais encore des vieilles expressions « *full* pas rap ».

Merci aussi à Virginie, ma chère correspondante virtuelle, pour nos passionnants échanges.

Merci à India, pour l'amitié. Tu demeures pour moi une inspiration à tous les égards.

Merci à toute l'équipe des Intouchables pour le soutien et les suggestions éclairées.

Un merci tout particulier à Michel Brûlé, pour la confiance et la compréhension.

Merci à Murielle Flynn pour l'encouragement et les corrections de dernière minute.

Enfin, merci à Marie-Christine Lavallée pour son œil averti. Nikki Pop ne serait pas Nikki Pop sans ton apport et ton dévouement.